Eadar Dà Shaoghal
Between Two Worlds

Balach ann am Beàrnaraigh
A Bernera Boyhood

Dòmhnall MacLeòid

Eadar Dà Shaoghal

Between Two Worlds

Balach ann am Beàrnaraigh

A Bernera Boyhood

Riaghladair Carthannas na h-Alba
Carthannas Clàraichte/Registered Charity SC047866

A' chiad fhoillseachadh ann an 2019 le Acair, An Tosgan,
Rathad Shìophoirt, Steòrnabhagh, Eilean Leòdhais HS1 2SD

www.acairbooks.com
info@acairbooks.com

Deilbhte agus dèanta le Acair
Dealbhachadh an teacsa agus a' chòmhdaich le Fiona Rennie às leth Acair.

Chuidich Comhairle nan Leabhraichean am foillsichear le cosgaisean an leabhair seo.

Tha Acair a' faighinn taic bho Bhòrd na Gàidhlig.

Gheibhear clàr catalog CIP airson an leabhair seo ann an Leabharlann Bhreatainn.

Clò-bhuailte le Hussar Books, A' Phòlainn

LAGE/ISBN: 978-1-78907-018-7

Clàr-innse *Contents*

Dha sliochd na bha riamh a' fuireach aig 9 Circeabost air an robh Muinntir a' Negaro, às dèidh mo sheanar. Dha sliochd muinntir 16b Tobson, muinntir mo sheanmhar. Dha coimhearsnachdan Bheàrnaraigh, man a bha is man a tha. Agus, gu h-àraid, dha mo bhean phrìseil Laura, mo nighean ghaolach Marnie agus mo nighean-cèile mhìorbhaileach Suzi, a thug dhomh an taic agus an tìde gus an obair seo a chrìochnachadh.

For all the progeny of those who lived at number 9 Kirkibost: those who can call themselves Muinntir a' Negaro, after my grandfather. For the progeny of all those who came from number 16b Tobson, my grandmother's people. For the communities of Bernera, as they were and as they are. And special thanks to my precious wife Laura, my beloved daughter Marnie and my wonderful daughter-in-law Suzi for giving me the time and support to do this work.

Buidheachas

Tha mi taingeil dhan a' BhBC airson na sgeulachdan agam a choimiseanadh agus a chraoladh agus airson uiread a chothroman a thoirt dhomh a bhith a' cur ris a' Ghàidhlig thar uiread a bhliadhnaichean. Tha mi a' toirt taing do Annella Nicleòid, a chuidich mi, mar riochdaire an t-sreath rèidio, a' toirt nan sgeulachdan beò. Cuideachd, do Joan Nicdhòmhnaill airson a foighidinn, mar neach-deasachaidh, gam stiùireadh tro bhith a' cur an dà thionndadh ann an clò. Cha bhitheadh na sgeulachdan mar a tha iad às aonais obair chruthachail an dithis aca. Mo thaing do Chathaidh Nicdhòmhnaill (Cathaidh Bhàn) airson cuid de chainnte Bheàrnaraigh a rannsachadh. Agus, do Chatrìona Ruadh an Dubh-Thòb airson fios a chur thugam a dh'innse dhomh gun do chòrd na prògraman rèidio rithe. Do mo bhràthair Tormod a lorg tòrr dha na dealbhan agus a chuidich leis an earrainn air Sloinntearachd. Cuideachd, do Kathanna Latimer airson cuideachadh leis na dealbhan bho Thaigh-tasgaidh Bheàrnaraigh. Tha mi air mo dhòigh gu bheil na sgeulachdan a' nochdadh an dà chuid sa Ghàidhlig agus sa Bheurla, airson gu faigh daoine nach leugh a' Ghàidhlig cothrom orra agus mar ghoireas do luchd-ionnsachaidh. Airson sin, tha mi fada, fada an comain Agnes Rennie agus Acair.

Faversham, Kent.

Giblean, 2019.

Acknowledgements

I am grateful to the BBC for commissioning and broadcasting the original stories and for giving me so many opportunities to contribute to the Gaelic language over so many years. My grateful thanks to Annella Macleod, who, as producer of the radio versions, helped me bring them to life. Also, to Joan Macdonald for her patience, as editor, in guiding me through the process of getting both versions into print. They would not be what they are without both their creative efforts. Thanks to Cathy Macdonald (Cathaidh Bhàn) for looking into some Bernera-isms. And to Catherine Macdonald (Catrìona Ruadh an Dubh-Thòb) for reaching out to tell me that she had enjoyed the broadcast versions. To my brother Norman for finding many of the photographs and helping with the Gaelic Naming Tradition section. Also, to Kathanna Latimer for helping with photographic material from the Bernera Museum. I am delighted that the stories appear in Gaelic and English, both to make them accessible to people who cannot read Gaelic and to offer them as an aid to those who wish to learn. For that, my inestimable debt is to Agnes Rennie and Acair.

Faversham, Kent.

April, 2019.

Ro-ràdh

Chan eil annainn ach eachdraidh, 's chan eil ann an eachdraidh ach cuimhne. 'S chan eil ann an cuimhne ach seòrsa de bhruadar, a tha air innse 's air ath-innse, fad cùrs' ar beatha. 'S man as fhaide a tha sinn a' siubhal bhuapa, 's ann as lugha ar cuimhne, 's as motha a tha sinn a' cur riutha. Bhuail Clive James, an t-ùghdar agus craoladair Astràilianach, air an fhìrinn, nuair a dh'ainmich e an leabhar aige 'Cuimhneachain Mhì-Chinnteach ('Unreliable Memoirs').

Bha mi fhìn a-riamh airson tuigsinn cò mi, 's cò às a thàinig mi. Bha mi cinnteach gur e na bliadhnaichean a thug mi ann an Circeabost a chruthaich mi mar pearsa. Tha mi làn chreidsinn gur e an fhìrinn a th' anns an t-seann-fhacal, "Thoir dhomh do mhac airson seachd bliadhna, 's bheir mi dhut an duine." Sgrìobh mi na cuimhneachain a bh' agam ann am Beurla – airson gum biodh cuimhne agam fhìn orra, agus airson gum biodh cothrom aig mo theaghlach an leughadh.

A Foreword

What we are, each of us, is a history, and all history is memory; and memory is a sort of dream that we tell and re-tell over the course of our lives. The farther we travel in time from our memories, the less we truly remember and the more we add to them. Clive James, the Australian author and broadcaster, hit on a truth when he called his autobiography 'Unreliable Memoirs.'

I always wanted to know who I am and where I came from. I was sure that it was the years I spent in Circeabost that created me as a person. I believe in the truth of the saying, "Give me your son until he is seven, and I will give you the man." I wrote down my remembrances in English – in order to preserve them for myself and so that my family could read them.

Ro-ràdh

Nuair a thuirt Annella Nicleòid (riochdaire a' phrògram rèidio a rinn mi, Eadar Dà Shaoghal, air a bheil an leabhar seo stèidhichte) gur docha gu robh rudeigin annta, 's an uair a thòisich mi gan sgrìobhadh ann an Gàidhlig, thachair an rud mìorbhaileach a thachras do sgrìobhadair nuair a tha cùisean a' dol man bu chòir: thòisich iad gan sgrìobhadh fhèin. Sgrìobh mi na seanchasan man a thàinig iad thugam, an ìre mhath gun ath-sgrìobhadh sam bith. Rinn Annella treallaich mhath sgioblachadh cànain, 's beagan gearraidh.

Anns na leughaidhean, dh'fheuch mi ri cumail ri cainnt Bheàrnaranach, cho fada 's a b' urrainn dhomh – 's ma tha fàilligeadh ann a shin, no ann a rud sam bith eile, 's e m' fhàilligeadh fhìn a th' ann. Tha mi an dòchas gun còrd na seanchasan ri duine no dhithis an siud 's an seo. 'S ma chòrdas iad letheach cho math riuthasan 's a chòrd iad riumsa gan sgrìobhadh, bidh mi sona.

When Annella Macleod (producer of my radio programme, Between Two Worlds, on which this book is based) said that there might be something in them and when I began to write them in Gaelic, a marvellous thing happened that happens to writers when everything comes together: the memoirs began to write themselves. I wrote the stories as they came to me, without any re-writing or editing. Annella did a good deal of correcting of language and a little editing.

In the readings, I attempted to keep to the Bernera dialect, as much as I was able. If there are failings in that, or in any other aspect, these failings are mine. I hope that they are liked by one or two people here and there; and if they get half the pleasure from reading them I got from writing them, I will be content.

1 - A' dol Dhachaigh

"Oh," thuirt mo mhàthair 's mi aig an taigh as t-samhradh leis an teaghlach, "feumaidh sinn tadhal air Fionnlagh." Agus 's e sin a rinn sinn. Bha mo mhàthair cho measail air cèilidh 's gun deigheadh i fad Eilean Leòdhais airson dìreach boillsgeadh, man a chanadh i fhèin, fhaighinn air càirdean.

"Oh, cha dèan sinn ach seasamh air an làr," chanadh i, 's dheigheadh an seasamh gu suidhe, 's dheigheadh an suidhe gu diùltadh teatha[i], (oir dh'fheumadh daoine a bhith daiceallach) 's dheigheadh an diùltadh gu, "Uill, dìreach leth-chopain." Dheigheadh a' leth-chopain gu naidheachdan, seanchasan, 's còmhraidhean... Agus aig a' cheann thall, "An ann a' falbh a tha sibh mar-thà?" 's, "Feuch nach bi sibh fada gun a thighinn a-rithist," "'S na biodh sibhse na ur strainnsearan a bharrachd, tha sinne ann an seo co-dhiù uair sam bith a tha sibh a' dol seachad."

Co-dhiù, chaidh sinne a thadhal air Fionnlagh. Cho luath 's a shuidh sinn, fiù 's mus tàinig an teatha, chuir e ceist orm, "Na dh'innis mi riamh dhut mu do sheanair?" arsa esan.

1 - Going Home

"O," said my mother when I was at home in the summer, with the family, "we must drop in on Fionnlagh." And that is what we did. My mother was so fond of visiting that she would go the length of the Island of Lewis just to catch a glimpse (as she would say herself) of relatives.

"O, we'll just stand on the floor," she would say – and the standing would become sitting, and the sitting would become declining tea[ii] *(for people should be frugal) and the declining would become, "O well, just half a cup." And the half cup would become news and stories and conversation... And, at last, "Are you going so soon?" "Be sure that you won't be so long in visiting again." "And don't you be strangers either. We're here any time you're passing."*

Anyway, we went to visit Fionnlagh. As soon as we sat down – even before the tea came – he asked me a question, "Did I ever tell you about your grandfather?" he said.

"Oh, 's iomadh latha sin," arsa mise. "'S iomadh seanchas a dh'innis thu dhomh agus sinn a' falbh anns an làraidh. Mar bu thrice, bhiodh an seann làraidh – bheil cuimhne agad? – a' critheadaich agus a' gliogadaich air na rothaidean truagh a bh' ann an uair sin 's bhiodh tusa a' seinn aig àrd do chlagainn, ged nach cluinninn-sa facal dheth leis an fhuaim."

"Oh, bha mise gu math toilichte nach cluinneadh duine mi. Cha b' e guth smeòraich a bh' agam ach guth rùda leis a' bhracsaidh!" 'S rinn sinn gàire le chèile a' cuimhneachadh nan làithean buidhe, fad às nuair a bha mise na mo bhalach beag agus esan na dhuine òg làn obair agus spòrs.

"Ach, cha chreid mi gun dh'innis mi dhut a-riamh mun an latha a bhàsaich do sheanair. Bha thu ro òg an uair sin. 'S ann anns a' Ghearran a bha e, am Marbh Mhìos mar a chanadh do shinnsirean rithe. Marbh gu dearbh, làithean goirid, 's oidhcheannan fada gun mòran obair ri dhèanamh. Bha mi fhìn air a bhith a' dèanamh beagan càradh air a' bhan agus a' làraidh, ach am bitheadh iad ann an òrdugh mhath nuair a thigeadh obair an earraich. 'S cha robh i càilear a-muigh anns a' gharaids air mo dhruim fon a' làraidh no an sàs ann an iarann reòthte. Làithean fuar, frasach ann.

"Thug mi an oidhche sin a' cur nan caran anns an leabaidh. Chuirinn car an taobh ud 's an taobh ud eile. Thòisichinn a' tuiteam thairis ach dhèanainn srann no fuaim beag air choireigin 's dhùisginn a-rithist. 'S bha fallas orm.

'Oh, 's ann as fheàrr dhomh èirigh,' thuirt mi rium fhìn.

"Bha mi na mo laighe le m' aodann ris a' bhalla 's mas d' fhuair mi air carachadh 's ann a dh'fhairich mi làmh a' greimeachadh air a' chuibhrig air mo chùlaibh. Shuidh mi

"On many a day," I replied. "Many a tale you told me in the lorry. Usually the old lorry would be – do you remember – shaking and clanking on the poor roads we had then, and you'd be singing at the top of your voice, although I couldn't hear a word for the racket."

"O, I was very happy that no-one could hear me: I didn't have the voice of a thrush, but the voice of a ram with the braxy!" And we smiled at each other remembering those golden, far-off days, when I was a small boy and he was a young man full of work and fun.

"But I don't believe I ever told you about the day your grandfather died – you were too young then. It was in February – the 'Dead Month', as your ancestors called it. Dead indeed: short days and long nights, with little work to be done. I had been doing some repairs to the van and the lorry so that they would be in good order when the spring work came. And it wasn't pleasant out in the garage, on my back under the lorry, or handling cold iron. Cold, showery days.

"I had spent that night tossing and turning in bed. I would turn one way and then the other. I would begin to fall asleep, but I would snore, or make some small noise, and I would awake again. And I was sweating.

'Oh, I would be as well to get up,' I said to myself.

"I was lying with my face to the wall and before I could move, I felt a hand grab the bedcover at my back. I sat up,

an-àirde, an t-eagal a' greimeachadh gu cruaidh air m' anam. Cò bh' ann an sin ach an Negaro[1], do sheanair. Rug mise air a' chuibhrig agus dhragh mi thugam e cho cruaidh 's a b' urrainn dhomh. Chan fhaicinn ach a chruth anns an dorchadas, ach bha mi cho cinnteach 's a tha mi an-dràsta gu bheil thu fhèin ann an sin air mo bheulaibh, gur e do sheanair a bh' agam.

"Nise, cha b' e an Negaro am far-ainm a bh' air do sheanair gun adhbhar. 'S e duine calma, làidir a bh' ann an Tormod Dubh Cheann. Spìon e a' chuibhrig bhuam agus rinn e a-mach an doras gun facal a chantainn. Thuit mise air ais air a' chluasag cho lag ri piseag. Bha mi air chrith le fuachd 's eagal. Chaidh mi cruinn fon a' phlaide 's thòisich mi ag ùrnaigh, 'Oh, Dhè Ghràsmhoir, dè tha air a thighinn orm? Carson a tha Do shearbhant, Tormod Dubh Cheann, air a chùl a chur rium? Dè rinn mi airson seo a thoirt orm fhìn?'

"'S chùm mi orm, 's chùm mi orm.

"Ach, cha chùm duine ag ùrnaigh ach cho fada 's a tha briathran aige. Thòisich mi a' smaoineachadh gu domhainn mu do sheanair. Chan e a-mhàin gu robh mi measail air, ach gu robh gaol agam air. Chan fhaca mise duine a-riamh aig an robh an spèis agam a bh' agam dhàsan. Bha na balaich gu lèir measail air. Bha e làn spòrs is dibhearsain 's bha e cheart cho toilichte a bhith còmhla rinne 's bha e bhith còmhla ri cho-aoisean fhèin. Carson a bha e air a bhith cho fiadhaich? Thàinig rud gu mo chuimhne bhon uair a bha mi nam bhalach air an robh mi air iomadach cuairt a thoirt nam inntinn.

"Latha brèagha samhraidh 's mi fhìn 's na balaich a-muigh air cùl a' Chnoc Ghlas ann am bealach beag – an Gleann

fear gripping my soul hard. Who was there but the Negro[2] *– your grandfather. I grasped the bedcover and pulled it towards me as hard as I could. I could only see his outline in the darkness, but I was as sure as I am that you are there before me now, that it was your grandfather.*

"Now, your grandfather was not called The Negro as a nickname for no reason. Tormod Dubh Cheann was a well-made, strong man. He snatched the bedcover from me and made out of the door without saying a word. I fell back on the pillow, as weak as a kitten. I was shaking with cold and fear. I curled up under the blanket and began to pray, 'O gracious God, what has befallen me? Why has your servant Tormod Dubh Cheann turned his back on me? What have I done to bring this on myself?'

And I kept on and on.

"However, a person can only keep praying for as long as they have words. I began to think deeply about your grandfather. It was not just that I was fond of him but that I loved him. I never saw another man for whom I had such respect. All the boys were fond of him. He was full of fun and repartee and he was just as happy to be with us as to be with people his own age. Why was he so angry? I began to remember something from my boyhood that I had gone over many times in my mind.

"A beautiful summer's day and the boys and I were out behind the Grey Hill in a small hollow – the Dark Glen – where we used to play soldiers. I think that on that day we

Dorch – far am biodh sinn a' cluich saighdearan. Tha mi a' smaoineachadh, air an latha ud, gu robh sinn seachd sgìth a chluich saighdearan. Co-dhiù, tha cuimhne agam gu robh sinn nar suidhe a' còmhradh 's a bleigeardachd man a b' àbhaist. Dh'fhaighnich cuideigin cò bha dol dhan eaglais a-màireach ('s e Disathairne a bh' ann). Thuirt sinn gu lèir gu robh sinn a' dol innte. 'S e làithean math a bh' againn 's cha robh adhbhar dhuinn diùltadh an trì mìle coiseachd ann 's air ais gu eaglaisean Bhrèacleit – cuid againn dhan an Eaglais Shaor agus càch dhan an Aonadh. 'S ann a bha sinne toilichte nach robh againn ri dhol dhan an sgoil Shàbaid, 's sinn air a thighinn gu aois nach leigeadh sinn a leas.

"'S ann a thòisich Dòmhnall Chlapper a' leigeil air gur e ministear a bh' ann. Dhìrich e an-àirde air toman, (an cùbainn na bheachd fhèin), agus thòisich e a' cur dheth. Rinn e ùrnaigh, 's leig e air gun leugh e earrann às an Fhìrinn, (bha i aige air a theanga). Rinn e seòrsa de shearmon, 's ùrnaigh eile.

"Leum, an uair sin, Iain a' Negaro, bràthair do mhàthar, suas gu toman eile – an cùbainn beag mas fhìor – agus thòisich e a' preasantadh[3]; 's thòisich sinne ga fhreagairt mar coithional sam bith eile.

"Nise, tha mise air ruith air an rud a bha sinn a' dèanamh ann an siud fichead mìle turas. 'S dòcha gur e mì-mhodh a bh' air ar n-aire, ach cha b' ann a' fanaid air an Fhìrinn no a' magadh air a' mhinistear a bha sinn. 'S ann a bha sinn a' toirt leinn na bha sinn a' faicinn mun cuairt oirnn, 's fhios againn gum biodh sinne cuideachd, mar ar n-athraichean, ag adhradh anns an eaglais latha brèagha air choireigin.

were heartily tired of playing soldiers. Anyway, I remember that we were sitting talking and joshing as usual. Someone asked who was going to church tomorrow (it was Saturday). We all said that we were going – we were having days of good weather and we had no reason to get out of the three-mile walk there and back to the churches in Brèacleit, some of us to the Free Church and some of us to the Church of Scotland. We were happy that we were not required to go to Sunday school, because we had come to an age when we did not have to.

Dòmhnall Chlapper began pretending to be a minister. He climbed onto a hummock (the pulpit, in his own way of it) and he began to hold forth. He offered up a prayer and pretended to read a verse from the Bible (he knew it by heart). He gave a sort of sermon and another prayer.

"Then up jumped Iain a' Negaro your uncle onto another hummock – the pretend small pulpit, to him – and he started to precent[4]; and we began to answer his refrain like any other congregation.

"Now, I have gone over what we were doing there twenty thousand times: maybe we did intend to misbehave. But we were not mocking the Truth or imitating the minister. We were just taking in all that we saw around us, in the knowledge that we also, like our fathers, would be worshiping in the church some fine day.

"Bha Iain a' Negaro a' dol a thogail rann eile nuair a stad e. Bha e air a shùil a thogail 's cò chunnaic e shuas air cliathaich a' chnuic ach athair. Lean càch a shùil 's chaidh sinn sàmhach anns a' bhad. Reòth an fhuil nam fhèithean. Saoilidh mi fhathast gun deach solas an latha na bu duirche. Bha sinn gu lèir air ar dubh-nàrachadh. Dè chanadh ar màthraichean? Bhiodh sinn air beulaibh a' mhinisteir agus a' mha'-sgoile. Am feumadh sinn falbh às an eilean – air ar cur gu Raggan School[5] am badeigin air tìr-mòr?

"Chrom Tormod Dubh Cheann sìos far an robh sinn, agus sinne a' feitheamh, reòthte leis an eagal 's an aithreachas.

'Uill, a bhalachaibh,' arsa esan, 'bha siud math. Cò aig a tha fios nach eil ministear na ur measg 's nach bi sibh gu lèir na ur daoine math nuair a thig sibh gu ciall.' 'S leis a sin thòisich e a' lachanaich, 's na deòir a' sileadh às a shùilean. 'Oh, bhalachaibh, bha siud math,' arsa esan.

"Choisich e dhachaigh còmhla rinn, 's sinn a' bruidhinn air caoraich, 's iasgach 's eile. 'S cha chuala sinne facal mu dheidhinn an latha uabhasach ud a-rithist. Sin an seòrsa duine a bh' ann.

"Ach, bha mise a' gabhail feagal gu robh e air inntinn atharrachadh agus gu robh e air tionndadh nam aghaidh às dèidh na bha siud de bhliadhnaichean. Thuit mi na mo chadal gun faochadh fhaighinn.

"Dhùisg mi leis a' phlaide teann timcheall orm 's mi air mo dhrùdhadh leis an fhallas. Cha robh sgeul air a' chuibhrig. Leum mi às an leabaidh 's rinn mi air an doras agus 's ann an sin a lorg mi i. 'Feumaidh e bhith,' thuirt mi rium fhìn, 'gun thilg e ann an seo i mus do dh'fhalbh e.'

"Iain a' Negaro was about to precent another verse when he stopped. He had raised his eyes, and who should he see up on the shoulder of the hill, but his father. We all followed his gaze and fell silent at once. The blood froze in my veins. I still feel that the daylight darkened. We were all black ashamed. What would happen to us? What would our mothers say? We would be before the minister and the schoolmaster. Would we need to leave the island – sent to a Raggin' School[6], somewhere on the mainland?

"Tormod Dubh Cheann came down to where we were. We waited, frozen with fear and regret.

'Well, boys,' he said. 'That was good. Who knows that there may not be a minister among you and that you may all be good men when you grow up[7].' And with that, he began to laugh, tears streaming from his eyes. 'O boys, that was good,' he said.

"He walked home with us, talking about sheep and fishing and all sorts of things; and we never heard a word about that dreadful day again. That was the kind of man he was.

"But I was afraid that he had changed his mind and that he had turned against me, after all these years. I fell asleep without getting any relief.

"I awoke with the blanket tight around me, drenched with sweat. There was no sign of the bedcover. I jumped out of bed and made for the door, and that's where I found it. 'It must be,' I said to myself, 'that he threw it down here before he left.'

"Thug mo mhàthair dhomh mo bhracaist. Cò thàinig a-steach ach an Negaro fhèin. Bha mise cho troimh-a-chèile 's nach eil fiù 's cuimhne agam na bheannaich e an latha dhomh. Ach, 's e aon rud air a bheil cuimhne agam, agus 's e sin gun tug e droch shùil orm.

'Dè man a tha e fhèin?' dh'fhaighnich e dha mo mhàthair.

"Oh, tha cho math 's as urrainn. A' cumail ris," arsa ise.

'Cha tèid mi a-steach,' thuirt an Negaro, 'tha e ro thràth.'

'Innsidh mi dha gu robh thu a-staigh,' thuirt mo mhàthair.

"Bha m' athair anns an leabaidh tinn. Bhiodh e fhèin marbh, às dèidh greis san ospadal, taobh a-staigh mìos.

"Bha mi a' cur stuthan bùth às an làraidh dhan an t-seada (a' bhùth a bh' againn an uair sin) feasgar nuair a thàinig an èighe. Thàinig Ailig John 's e na leth-ruith, 'Tha Peigi Anna a' cantainn gun dh'fhalbh Tormod gu caoraich aig tràth-diathad 's nach eil e air tilleadh, 's an cù air a thighinn dhachaigh às aonais!'

"Dh'aithnich mi gu robh rudeigin fada ceàrr.

"'S fheàrr plaide a thoirt leinn," arsa mise, 's rinn mi a-steach a dh'iarraidh tè. Bha grunnan dhaoine timcheall aig a' bhùth ag iarraidh cigarettes no parafin no rudeigin, 's dh'fhalbh sianar againn. 'S ann nuair a bha mi fosgladh geat' 's mi beagan air thoiseach air càch a mhothaich mi gur e a' chuibhrig agamsa a bha mo mhàthair air a thoirt dhomh.

"Lorg sinn e anns a' Ghleann Dorch 's e na shìneadh an ìre mhath far an robh e air a bhith na sheasamh a' lachanaich às dèidh dha ar faicinn ag adhradh air an latha dorch, samhraidh ud 's sinn nar balaich.

"My mother gave me my breakfast. Who came in but the Negro himself. I was so upset that I cannot even remember if he greeted me[8]. But one thing I do remember: he gave me a dark look.

'How's himself?' he asked my mother.

'Oh, he's as well as can be expected; bearing up,' said my mother.

'I won't go in,' said the Negro. 'It's too early.'

'I'll tell him you were in,' said my mother.

"My father was ill in bed. He would be dead, after a spell in hospital, inside a month.

"I was taking stuff for the shop from the lorry into the shed (the shop we had then) in the afternoon, when the shout came. Ailig John came at a half-run, 'Peigi Anna is saying that Tormod went out to the sheep at dinner time and that he has not returned, and that the dog has come home without him.'

"I knew there was something far wrong.

"'We'd better take a blanket,' I said and I went indoors to get one. There were a number of people about, at the shop getting cigarettes or paraffin or something, and six of us went. It was when I was opening a gate a little ahead of the others that I noticed that it was my bedcover that my mother had given me.

"We found him in the Dark Glen. He was lying more or less where he had been standing laughing, when he had seen us worshiping on that dark summer's day when we were boys.

"Sin mar a thàinig Tormod Dubh Cheann dhachaigh anns a' chuibhrig agamsa.

"Oh, atharraichean, atharraichean mòr air a' bhaile bheag againne. Cha robh m' athair fhìn fada às a dhèidh; linn bho linn a' dol seachad. Tha mi a' smaoineachadh gun tàinig atharrachadh air an fheadhainn a thog do sheanair an latha ud. Gu cinnteach thug e atharrachadh ormsa."

Atharraichean gu dearbh, ma bha aig Fionnlagh ri ràdh. A' coimhead air ais tha cuimhne agam a bhith a' cluinntinn gun do thuit sgleò air baile Chirceaboist agus gu dearbh air Eilean Bheàrnaraigh.

"Nach garbh a rud a tha ann," chanadh an ceann-baile.

"Duine mar Tormod Dubh Cheann air falbh an treun a neart."

"Tha e coltach gur e a chridhe a bh' ann."

"Tha. 'S e sin a tha iad ag ràdh. Marbh mus do bhuail e an talamh, thuirt an dotair."

"A' ruith chaoraich mar iomadach fear roimhe."

"Sin man a tha. Sin man a tha," chanadh na boireannaich.

* * *

Bha an teaghlach beag againne ann an Glaschu nuair a thàinig a' bhuille. Bha m' athair air a thighinn air tìr às dèidh an cogadh a thoirt anns an Royal Navy agus às dèidh dha a bhith anns a' Mherchant Navy ron a sin. (Rinn e às gu muir nuair a bha e còig bliadhna deug.) Obair gu leòr an uair sin ann am baile mòr Ghlaschu 's bha e air cosnadh fhaighinn mar rigger ann am muileann flùir, Spillers. Tha e coltach gu robh iarrtas

"That is how Tormod Dubh Cheann came home in my bedcover.

"O, changes, big changes in our little village. My own father was not long after him. Generation after generation passing by. I think all who lifted your grandfather that day were changed by it. Certainly, it changed me."

Changes indeed, as Fionnlagh hardly needed to say.

Looking back, I remember hearing that a cloud fell upon the village of Circeabost: and, indeed, on the island of Bernera.

"Isn't it terrible," the voices of the village would say.

"A man like Tormod Dubh Cheann gone at the height of his strength."

"It seems it was his heart."

"Yes. That is what people are saying. Dead before he hit the ground, the doctor said."

"Running after sheep, like many a one before him."

"That is how it is. That is how it is," the womenfolk would say.

* * *

Our small family was in Glasgow when the blow fell. My father had come ashore, after spending the War in the Royal Navy and in the Merchant Navy before that. (He made off to sea when he was 15 years of age.) Plenty of work then in the big city of Glasgow and he had got a job as a rigger in Spiller's flour mill. It seems that sailors were in

mòr air seòladairean mar rigearan, anns na h-obraichean mòra air feadh na rìoghachd.

"Cò ris a tha an t-àite sin coltach an-diugh?" dh'fhaighnicheadh mo mhàthair a h-uile latha nuair a thilleadh e chun a' flata chofhurtail a bh' againn ann an Kelvinbridge.

"Mar as àbhaist. Chan eil mionaid agad dhut fhèin. Chunnaic mi fear a dh'aithnichinn aig àm na diathad. 'S ann aig muir a chunnaic mi ron a seo e ach chan eil cuimhne agam càite. Bha mi a' bruidhinn ri Seonaidh Ruadh 's chan aithnicheadh esan idir e. Chì sinn cò e nuair a thig sinn na lùib. Ach, chan eil mionaid idir ann an siud a bhith bruidhinn ri daoine co-dhiù. Dè man a tha cùisean ann an seo?"

Bha flat againn air sgàth 's gur e caretaker a bha na mo mhàthair aig seann Mrs Gould.

"Oh, mise suas agus sìos thuicese, a' glanadh agus a' sgioblachadh. Iain Beag a' cluich leis fhèin 's a' falbh còmhla riumsa an-dràsta 's a-rithist. Tha e fortanach gur e leanabh math a th' ann." 'S e Iain a bh' aca ormsa ged as e Dòmhnall Iain m' ainm. 'S e Iain Mòr, Iain bràthair mo mhàthar, 's mise Iain Beag.

Cha do leig i oirre nach mòr nach deach i à cochall a cridhe 's mise air dèanamh às gun fhiosta dhi, sìos an t-sràid air mo thricycle agus gun deach mi air chall ann am bùth mhòr Lewis', gun a lorg tè-bùth mi a' ruith suas agus sìos agus mi a' rànail feuchainn ri mo mhàthair a lorg. Tha cuimhne agam fhathast am feagal a bha orm nach fhaicinn mo mhàthair ann am bith tuilleadh.

great demand as riggers in the big factories throughout the country.

"What was that place like today?" my mother would ask each day, when my father returned to the comfortable flat we had in Kelvinbridge.

"Just as usual. You don't have a minute to yourself. I saw someone at dinner time that I recognised. I came across him at sea before, but I can't remember where. I was speaking to Seonaidh Ruadh but he didn't know him at all. We will see who he is when we bump into him. But there is no time in that place to be talking to people anyway. How are things here?"

We had the flat because my mother was a caretaker to old Mrs Gould.

"O, me up and down to herself, cleaning and tidying. Iain Beag playing by himself and coming with me now and again. It's fortunate that he's a good child." I was known as Iain, although Dòmhnall Iain was my name. Big Iain was my uncle and I was Little Iain.

She did not let on that she nearly had a heart-attack,[9] *I having made off without her knowledge down the street on my tricycle. And that I had gone missing in the big Lewis' store, until a shop girl found me running up and down crying and trying to find my mother. I remember still the fear I felt that I would never see my mother again.*

Thàinig a 'wire' gun thruas, cruaidh, gun fhaireachdainn, man a thàinig i cho tric ann an làithean dorch a' chogaidh. Bha mo mhàthair na cùrlaich anns an t-sèithear mhòr nuair a thàinig m' athair dhachaigh.

"Dè fo Shealbh tha ceàrr?" arsa esan.

"Siud e," 's thug i dha a' wire.

Shuidh e agus a ghlùinean air lagachadh. Theab mo mhàthair a dhol às a ciall leis a' bhròn a ghreimich oirre. M' athair bochd a' feuchainn ri taic a thoirt dhi 's gun fhios aige dè b' urrainn dha a chantainn no a dhèanamh. Cha robh comas siubhail aithghearr aig daoine anns a' latha ud 's bhiodh mo sheanair anns an talamh mus ruigeadh iad dhachaigh co-dhiù.

"A Thormoid, feumaidh sinn a dhol dhachaigh," arsa mo mhàthair 's cnead innte. Chunnaic m' athair anns a' bhad gu robh cùisean bun os cionn: bha i buileach troimh-a-chèile.

"Dhachaigh? Ciamar? Carson?" arsa esan 's e a' feuchainn ri tuigse cò air a bha i a-mach.

"Carson! Carson!" dh'èigh i. "Tha thusa ceart gu leòr 's do phàrantan beò ann an Liùrbost. Tha m' athair-sa air falbh, mo chridhe briste 's an dachaigh ma sgaoil. Carson a dheighinn dhachaigh? Carson a dh'fhuirichinn ann an seo?"

Ruith m' athair iomadach turas air na thuirt i anns na làithean às dèidh sin. Thàinig e dhachaigh aig tràth-diathad Disathairne 's e air a bhith a' dèanamh overtime.

"A Mhargaret," arsa esan, "tha thu ceart. 'S fheàrr dhuinn a dhol dhachaigh."

The 'wire' came without pity, hard, without feeling, as it came so often over the dark years of the war. My mother was collapsed in the big chair when my father came home.

"What on earth is wrong[10]?" he asked.

"That's it," And she handed him the wire.

He sat down, his knees having weakened. My mother nearly lost her senses with the sorrow that gripped her. My poor father tried to support her, but he did not know what he could say or do. People did not have the ability to travel quickly in those days and my grandfather would have been in the ground before they could have got home, anyway.

"Tormod, we must go home," said my mother, sobbing. My father recognised at once that things were serious: she was completely mixed-up.

"Home? How? Why?" he said, trying to understand what she was talking about.

"Why! Why!" she shouted. "You're OK, with your parents alive in Liùrbost. My father is gone, my heart is broken and my home is destroyed[11]. Why should I go home? Why should I stay here?"

My father went over what she had said time and again over the following days. He came home at dinner time on Saturday, having been working overtime.

"Margaret," he said, "you're right. We had better go home."

Cha mhòr gun creideadh i a cluasan, "Dè tha thu ag ràdh…? Dè tha thu a' ciallachadh? Lùiginn mo mhàthair fhaicinn 's Ciorstaidh, 's Ciorstaidh Mary ach dè mu dheidhinn na tha seo?"

Tharraing m' athair anail agus thuirt e facail a chuir iongantas air ged as ann às a bheul fhèin a thàinig iad, "'S ann a dh'fheumas sinn a dhol dhachaigh airson greis airson cuideachadh a thoirt dha do mhàthair agus an lot a chur ann an òrdugh air choireigin gus am faicear dè ghabhas a bhith dèant."

"Ach, dè man a' flat? Ma d' obair?"

Cha robh mo mhàthair ach air cantainn na facail, 's i air falbh dhachaigh mar-thà. Cha robh teagamhan beag dhen t-seòrsa sin dol a chur maill oirre agus gu dearbh bha m' athair dhen an aon inntinn an ìre mhath cho luath 's a bha na facail air a bheul fhàgail, "Ach," arsa esan, "fàgaidh mi m' obair. Tha an t-àite ud gus mo chur tuathal 's mi gu bhith air mo mhùchadh leis a' fhlùr mìn a tha siud, man ceò a' dol air m' anail. 'S e th' annamsa ach seòladair, cleachdte ri bhith ag obair còmhla ri daoine eile 's fios aig a h-uile duine dè tha e a' dèanamh agus carson."

Bha iad òg agus bha iad dòchasach. Bha mo mhàthair a' dol dhachaigh 's bha m' athair an dòchas tilleadh aig a' cheann thall, 's dòcha gu taigh math eile ann an Kelvinbridge agus gu beath' maraiche.

Thàinig Ann, piuthar mo mhàthar, Antaidh Ann, 's a sùilean dearg le na deòir. Ghnog i aig an doras a-muigh mar toff sam bith eile às a' bhaile mhòr 's na dorsan glaiste. Ach

She could hardly believe her ears, "What are you saying...? What do you mean? I would like to see my mother and Ciorstaidh and Ciorstaidh Mary but what about all that there is here?"

My father took a deep breath and he said words that surprised him, even although they came out of his own mouth, "We need to go home for a while, to help your mother and put the croft in some sort of order, until we see what can be done."

"But what about the flat? Your work?"

My mother was just saying the words – she had already left for home. Little doubts such as these were not going to deter her and, indeed, my father was of the same mind almost as soon as the words left his mouth, "Ach," he said, "I'll leave my work. That place is nearly driving me mad. I am nearly choked with flour dust, like smoke catching my breath. I'm a sailor, used to being at sea, working alongside other men, all of us understanding what we are doing and why we are doing it."

They were young and hopeful. My mother was going home and my father hoped to return eventually, perhaps to another good house in Kelvinbridge and to the life of a seafarer.

My mother's sister Ann came – Aunty Ann – her eyes red with tears. She knocked at the outside door like any other toff in the big city, with the doors locked. But she was holding

bha ise a' cumail oirre mar bu chòir dhi 's i na manageress anns an NAAFI[12], anns na barracks mòr ann an Dùn Èideann.

"Oh Dhè ghràsmhoir," ars ise. "Chan eil fhios dè tha dol a thachairt aig an taigh. Tha an lot gu bhith bàn 's chan urrainn dha Iain mo bhràthair a dhol dhachaigh."

"Tha mi fhìn agus Tormod a' dol dhachaigh," thuirt mo mhàthair.

Taing do Shealbh, taing do Shealbh," arsa Ann.

Thàinig Iain, bràthair mo mhàthar 's e ag ullachadh airson na ministreachd aig Colaiste na h-Eaglaise Saoire. Rinn e ùrnaigh, "Oh Dhè ghràsmhoir agus uile bheannaichte, bheir Do chofhurtachd dhuinn aig àm ar bròin. Bheir Thugad fhèin anam ar n-athar. Dèan tròcair oirnn 's sinn nar peacaich. 'S bheir dhuinn stiùireadh aig an àm dhuilich sa."

'S rinn e ùrnaigh fhada ged as e tè ghoirid dhàsan a bh' innte.

"Tha Ann air innse dhomh gu bheil dùil agaibh a dhol dhachaigh," ars esan.

"Tha," thuirt mo mhàthair.

"Oh 's e Freastal a tha riaghladh. Cha robh fhios agamsa dè dhèanainn 's Dia air mo ghairm dhan mhinistreachd. 'S e seo am freagairt a tha e a' toirt dhuinn." 'S rinn e ùrnaigh eile a' toirt taing do Dhia.

Agus, sin man a thàinig sinne dhachaigh, agus man a lorg mise mi fhìn, mar iomadach Gàidheal romham, air rathad ùr gun fhiosta dhomh: glacte eadar dà shaoghal.

herself together, as well she might and she a manageress in the NAAFI[13] in the big barracks in Edinburgh.

"O gracious God," she said. "Who knows what is to happen at home. The croft will be fallow and my brother Iain can't go home."

"Myself and Tormod are going home," said my mother.

"Thank Fortune. Thank Fortune," said Ann.

My mother's brother Iain came. He was preparing for the ministry at the Free Church College. He gave a prayer, "O gracious and all-blessed God, give us Your comfort in our time of grief. Take to Yourself the soul of our father. Bless us since we are sinners. Guide us at this difficult time."

And he made a long prayer, although it was a short one for him.

"Ann tells me that you intend going home?" he said.

"Yes," said my mother.

"Oh, it is Providence that rules. I did not know what I could do. God has called me to the ministry. This is the answer he has given us." And he made another prayer, giving thanks to God.

And that is how we came home, and how I found myself, like many a Gael before me, set unknowingly on a new path: caught between two worlds.

A' Dol Dhachaigh - notaichean

1. Chaidh an t-ainm seo a thoirt air Tormod Dubh Cheann air sgàth neart a chuirp; b' e urram a bh' ann dha fhèin agus dha na daoine ris an robh e air a shamhlachadh. Tha sinn mothachail air seagh an fhacail seo san latha an-diugh, ach tha sinn ga chleachdadh airson adhbharan sloinntearachd leis gur e sin am far-ainm air an robh meur dhen teaghlach air an aithneachadh.

3. Stoidhle thraidiseanta seinn nan salm sa Ghàidhlig sam bi aon duine (am preasantair), a' seinn loidhne dhen t-salm agus bidh an coitheanal ga sheinn às a dhèidh.

5. B' e seo na 'Ragged Schools,' sgoiltean a chaidh a stèidheachadh ann an Alba gus coimhead às dèidh dhìlleachdanan. B' e 'Raggan School' a bh' aig mo mhàthair orra.

12. Navy, Army and Airforce Institute. Clubaichean sòisealta dha luchd nan seirbheisean armailteach.

Going Home - *footnotes*

2. This nickname was conferred on Tormod Dubh Cheann because of his physique; it was a mark of respect for the man and for the people to which he was compared. We are aware of the modern connotations of the name, but use it for the purposes of the naming tradition as that is the nickname by which a branch of the family was known.

4. Precenting is a traditional style of Gaelic psalm singing where a leader (precentor) sings each line of a psalm before it is repeated by the congregation.

6. Ragged Schools' instituted in Scotland to look after destitute children. My Mother always used to say 'Raggan School'.

7. lit. 'When you come to sense'

8. lit. 'blessed the day for me'

9. lit. 'out of the husk of her heart'

10. lit. 'under fortune'

11. Lit: 'scattered, dispersed'

13. Navy, Army and Airforce Institute. These were essentially clubs, messes, socialising areas provided in Barracks.

2 - A' dol air Falbh

"Dè man a tha sibh thall ann an Tacleit?" dh'fhaighnich mo mhàthair do Chatrìona Ruadh Dhanaidh Choinnich 's i air a thighinn a chèilidh.

"Oh, tha a h-uile duine gu math," fhreagair i. "Uill, 's fhada bho bha dùil agam a thighinn a shealltainn ort aon uair 's gun cuala mi gu robh sibh air a thighinn dhachaigh," thuirt Catrìona.

"Oh tha uiread aig daoine ri dhèanamh, ach tha thu ann an seo a-nis," fhreagair mo mhàthair.

Bha Catrìona Ruadh na suidhe aig a' bhòrd anns a' scullery ('s e scullery a bh' againne a-riamh air a' chidsin) 's mo mhàthair a' dèanamh teatha. Chuir i an teatha ann an cupanan grinn agus dh'ullaich i truinnsear le dà leth sgona, le tiùrr gruth is bàrr, dà leth eile le ìm 's jam rùbrub; pancakes cuideachd agus pìos cèic bùth – fruit cake ceart às a' Cho-op. Chuir

2 - Going Away

"How are you over in Hacklete? my mother asked Catrìona Ruadh Dhanaidh Choinnich who had come to visit.

"O, everyone is well," she replied. "Well, I've been intending to come and see you for a long time, once I had heard that you had come home," said Catrìona.

"O, people have so much to do, but you are here now," replied my mother.

Catrìona Ruadh was sitting at the table in the scullery (we always called the kitchen the scullery) and my mother was making tea. She put the tea in elegant cups and prepared a plate with two half-scones heaped with crowdie-and-cream; another two half-scones with butter and rhubarb jam; pancakes as well – and a piece of shop-cake – proper fruit cake from the Co-op. She put

i aran-coirce agus custard creams air truinnsear eile gun fhios nach biodh feum orra.

"Thugainn," arsa mo mhàthair. "'S ann a thèid sinn a-mach gu ceann an taighe. Latha brèagha samhraidh ann."

Dh'èigh mo mhàthair a-steach dhan rùm mheadhanach, a' living-room, man a bh' againn air.

"Granaidh! Tha sinn dol a-mach gu ceann an taighe gar garadh fhèin. Cha bhi sinn fada."

'S e Granaidh a bh' aig mo mhàthair air mo sheanmhair bho thàinig mise dhan an t-saoghal. Bha i air teatha a chur thuice-se mar-thà.

"Ceart gu leòr," dh'èigh mo sheanmhair 's gàire anns a' ghuth aice, oir bha e a' còrdadh rithe gu robh an fheadhainn òg a' dol a-mach a sholas na grèine.

"Bheir sinn leinn dà shèithear," thuirt mo mhàthair, 's dh'fhalbh iad a-mach. Ach, 's ann a chaidh mo mhàthair a-null faisg air na pallachan[1], gu clach a dhèanadh suidheachan an ìre mhath cofhurtail 's chleachd i na sèithrichean man bùird.

"Na tèid thusa faisg air na pallachan," thuirt mo mhàthair riumsa. "Tha fhios agad glè mhath gum bi thu marbh ma thuiteas tu."

Bha làn fhios agamsa air cunnart nam pallachan. Bha mise ceithir bliadhna a dh'aois agus bha mi na mo bhalach glic. Agus mi gu bhith na mo dhuine math a rèir mo sheanmhar, 's fhios aig a h-uile duine gur e boireannach beannaichte a bh' innte-se.

Thug mo mhàthair pìos cèic agus glainne mhòr orains dhomh. Shuidh mise air an taobh de mo mhàthair 's Catrìona

oatcakes and custard creams on another plate, in case they might be needed.

"Come," said my mother. "What we'll do is go out to the end of the house. It is a beautiful summer's day."

My mother called in to the middle room, the living-room, as we called it.

"Granny! We are going out to the end of the house to sun ourselves. We won't be long."

My mother had called my grandmother 'Granny' ever since I had come into the world. She had given her tea earlier.

"That's fine," shouted my grandmother, with a laugh in her voice. She liked the idea that the young ones were going out into the sunshine.

"We'll take two chairs with us," said my mother and they went outside. She went over near the stone ledges[2], to a rock which would make a reasonably comfortable seat and she used the chairs as tables.

"Don't you go near the ledges!" said my mother to me. "You know very well that you'll be dead if you fall."

I knew full well the danger of the ledges. I was four years of age and I was a wise boy. And I was going to be a good man, according to my grandmother, and everybody knew that she was a blessed woman.

My mother gave me a piece of cake and a big glass of orange. I sat on the side of my mother and Catrìona Ruadh

Ruadh a b' fhaide air falbh bho na pallachan, 's thòisich mi a' cladhach le pìos maide, a' dèanamh trainnsichean airson na saighdearan a fhuair mi aig Criosamus.

"Nach mìorbhaileach man a thionndaidheas cùisean a-mach," thuirt Catrìona.

"Abair e!" fhreagair mo mhàthair – 's cò aige tha fios dè bha ruith air a h-inntinn.

"Thusa air tilleadh dhachaigh, pòsta, às dèidh na bliadhnaichean mòra a chur seachad anns a' bhaile mhòr. Saoilidh mi uaireannan gur ann an-dè a dh'fhalbh sinn ach saoilidh mi uaireannan eile gu bheil ùine nan ùineachan bhuaithe."

"Oh," arsa mo mhàthair, "'s e iongantas a th' ann nach deach sinn às an rathad, no nach deach ar toirt air aon taobh air dòigh no dòigh air choireigin. Bha sinn cho beag seadh, 's cho aineolach, 's cho òg! Cha robh mise ach ceithir bliadhna deug ach bha thus' sia-deug nach robh?"

"Bha mise sia-deug. Bha làn dhùil againne gum bithinn-sa a' dol dhan a' sgadan[3] man a chaidh a' chlann-nighean romham, cho luath 's a dh'fhàgainn a' sgoil, ach bha sgadan a' dol air ais gu mòr na bliadhnaichean mu dheireadh. 'S e an rud a bha na ciùrairean a' dèanamh an uair sin gu robh iad a' cur fios chun a' chlann-nighean a bha beagan na bu shine na càch, 's a' faighneachd dhaibh an tugadh iad criudha mhath leotha, 's bha a' chlann-nighean a' toirt leotha na pals aca fhèin, rud a bha nàdarrach gu leòr. Mar sin dheth cha d' fhuair mise agus mo cho-aoisean an teans a dhol chun an sgadan."

"Agus an uair sin thàinig an sgeama a-mach bhon an Exchange[5] airson clann-nighean a chur air mhuinntireas a

that was farthest away from the ledges and I began to dig with a piece of wood, making trenches for the soldiers I had got at Christmas.

"Isn't it wonderful how things turn out?" said Catrìona.

"You said it!" replied my mother – and who knows what thoughts were going through her mind.

"You having returned home married, after spending so many years in the big city. Sometimes it feels as if it was only yesterday that we went away, but at other times it feels as if it was ages ago."

"O," said my mother, "it is a wonder that we were not killed, or led astray in one way or another. We were so unconfident and so ignorant – and so young! I was only fourteen – but you were sixteen, weren't you?"

"I was sixteen. We had fully expected that I would go to the herring[4]*, as the girls before me had done, as soon as I left school, but the herring fishing was in a great decline in later years. What the curers were doing at that time was contacting the slightly older girls and asking them if they would bring a good crew with them, and these girls took their own pals with them, which was natural enough. Because of that, I and my contemporaries didn't get the chance to go to the herring."*

"And then the scheme came out from the Exchange[6] *to send girls into domestic service in Glasgow. Remember, some of the herring girls were used to going into service,*

Ghlaschu. Cuimhnich, bha cuid de chlann-nighean an sgadain cleachdte ri bhith a' dol air mhuinntireas nuair a bha season seachad. Cha b' e rud ùr a bh' ann. Co-dhiù thàinig an litir à Steòrnabhagh. Dh'fhaodadh d' athair diùltadh ach bha feum mòr air airgead an uair sin. Cha robh subsidies no mòran airgead airson clòimhe no beathaichean no dad ann. Cha robh sgillig[7] ruadh a' tighinn a-steach dhan a' chuid-mhòr dhe na taighean ach am beagan a bha a' tighinn a-steach tron a' pheinnsean. 'S bha daoine a' smaoineachadh gur e rud math a bh' ann, a' chlann-nighean a' dol a-mach dhan an t-saoghal mhòr co-dhiù, 's dòcha a' lorg duine spaideil à àite air choireigin eile."

"'S bha daoine cho beag seadh 's cho umhail," thuirt mo mhàthair. "Cha ghabhadh iad orra a dhol an aghaidh rud sam bith. Bha mise a' falbh an latha a thàinig an litir. Cha robh mo mhàthair toilichte ach bha e man iomadach dealachadh eile, dh'fheumadh e a bhith agus dh'fheumaiste gabhail ris. Bha Anna mo phiuthar air ceus a chur dhachaigh. Tha cuimhne agam gu robh tè agadsa cuideachd."

"Oh, bha. Bha na cisteachan a bh' aig clann-nighean an sgadain fada ro throm," thuirt Catrìona.

"Lìon mo mhàthair an ceus dhomh 's bha mi deiseil," arsa mo mhàthair. "Mo chòta-sgoile air mo dhruim, 's miotagan math a dh'fhigh m' Antaidh Cairistìona dhomh na mo phòcaid. Dh'fhalbh mi fhìn agus m' athair, 's chrom sinn sìos an leathad chun a' phier. Sheas sinn ann an sin airson greis a' feitheamh ris a' gheòla agaibhse a bha dol a thighinn bhon a' phort mhòr airson ar toirt a-null a Bhreascleit, 's cha tuirt sinn facal ri chèile airson ùine. Chan eil fhios a'm dè bha ruith air inntinn

once the season was over. It was not a new thing. Anyway, the letter came from Stornoway. Your father could refuse but there was a great need for money then. There were no subsidies, or much money for wool or beasts or anything else. There wasn't a brown penny coming into most of the houses, except for the little that came through the pension. And people thought it was a good thing for the girls to go out into the big world anyway, maybe to find a posh husband from some other place."

"And people were so unconfident, and so obedient," said my mother. "They would not dare go against anything. I was going the day the letter came. My mother was not happy, but it was like many other partings, it had to be and we had to accept it. Anna, my sister, had sent a case home – I remember you had one too."

"O yes. The kists the herring girls used to have were far too heavy," said Catrìona.

"My mother filled the case for me and I was ready," said my mother. "My my school coat on my back, and good gloves, that my Aunty Cairistìona knitted for me, in my pocket. My father and I left and we descended the hill to the pier. We stood there for a while, waiting for your boat that was coming from the big harbour to take us over to Breascleit, and we did not say a word to each other for a while. I don't know what was going through my father's mind, but I have a sharp memory that I was frozen. I

m' athar, ach tha cuimhne gheur agamsa gu robh mise fuar, reòthte. Cha robh mi a' tuigse carson nach robh an cianalas orm, 's mi a' falbh bhon taigh. Cuimhnich cha robh mise fiù 's air a bhith a Steòrnabhagh ron a sin. Co-dhiù siud man a bha mise 's nuair a dhealaich sinn chuir m' athair a dhà ghàirdean timcheall orm, ghabh e grèim orm agus leig e beannachd leam. 'S nuair a ràinig sibhse, leum mise sìos dhan a' gheòla 's shuidh mi ri do thaobh-sa 's mi cho toilichte d' fhaicinn."

"'S e deireadh an t-samhraidh a bh' ann," thuirt Catrìona. "Na làithean bho dheireadh de August 's fhuair sinn sail mhath a-null gu cidhe Bhreascleit. Chuir iad fo sheòl i 's cha tug e fada sam bith gu robh sinn air ceann Eilean Chèabhaigh a chuairteachadh 's Circeabost air a dhol à fianais. Chuir iad air tìr sinn air a' chidhe 's bha bus a' feitheamh rinn ann an sin. Bus a dh'aona ghnothaich bhon an Exchange a bh' ann 's e air ruith air bailtean an Taobh Siar. A bheil cuimhne agad gu robh am bus cho làn 's nach b' urrainn dhuinn suidhe còmhla?"

"Thàinig ormsa suidhe ri taobh tè bheag, bhìodach," thuirt mo mhàthair, "'s i a' gal leis a' chianalas. Chan fhaca mi i uair sam bith gun a sùilean dearg. Saoilidh mi gun deach a cur dhachaigh an ceann ceala-deug. An truaghag bhochd! 'S e bh' annainn clann.

"Co-dhiù cha do bhuail an cianalas mise ann, 's mas robh sinn air na sia seachdainean deug a thoirt anns a' cholaiste bha a' chuid-mhòr againn ceart gu leòr. Ach bha cuid a chaidh an cur dhachaigh. Bhon, ma bha iad cho briste 's nach toireadh na cailleachan a-steach iad, cha robh math dhaibh a bhith ann."

could not understand why I felt no homesickness at leaving home. Remember, I had never even been to Stornoway before then. Anyway, that is the way I was and when we parted, my father put his arms around me, he gripped me hard and sent blessings with me. And when you arrived, I jumped down into the boat and sat down beside you, so glad to see you."

"It was the end of the summer," said Catrìona. "The last days of August, and we had a good sail across to the quay at Breascleit. The men put her under sail and it took no time at all before we had rounded the end of Cèabhaigh island, and Circeabost was out of sight. They put us ashore at the quay and there was a bus waiting for us – a bus specially arranged by the Exchange and it had run through the villages of the West Side. Do you remember that the bus was so full that we could not sit together?"

"I had to sit beside a tiny little girl," said my mother. "She was weeping with homesickness. I never saw her at any time without her eyes being red. I think she was sent home after a fortnight. The poor soul! We were only children.

"Homesickness didn't hit me at all, and by the time we had spent the sixteen weeks at the college, most of us were fine. But there were some who were sent home – because if they were so broken that the old ladies would not take them in, there was no point in them being there."

"Cha robh dad air m' aire-se ach faighinn air falbh," thuirt Catrìona Ruadh. "Bha mi air uiread a chluinntinn mu dheidhinn na pals a' dol dhan eaglais 's na dannsan, 's bha a' chlann-nighean a bha air a bhith aig an sgadan ag innse cho socair 's a bha a' bheatha aca air mhuinntireas, an taca ris an obair chruaidh a bha an cois an sgadan – na do sheasamh ann an siud bho mhoch gu dubh, anns an fhuachd agus do làmhan làn ghàgan leis an t-salainn."

Rinn mo mhàthair drèin, "A bheil cuimhne agad am bleigeard boireannach a bh' anns a' bhus? Ghabh i ar h-ainmean 's thuirt i rinn gu feumadh sinn fuireach còmhla. Dh'fheumadh sinn falbh ann an loidhne sgiobalta bhon a' bhus chun an steamair, 's shealladh ise dhuinn càite an robh sinn gu bhith air bòrd. A bheil cuimhne agad? Thuirt i rinn gun toireadh ise dhan taigh-bheag sinn, nam biodh sinn feumach. Ma-thà, cha do lean sin fada. Cho luath 's a thàinig beagan de rola thòisich làmh às dèidh làmh a' dol an-àirde. "Please Miss may I leave the room?" chanadh sinne mar a b' àbhaist dhuinn a bhith a' cantainn anns an sgoil. Ach aon uair 's gun dh'aithnich i gur ann a bha sinne a' dèanamh a-mach air an deic, a' gòmadaich 's a' cur-a-mach aig an rèile, leig i seachad sinn, 's shuidh i ga ur coimhead le bus oirre, man bò gun a bleoghan."

"Co-dhiù," arsa Catrìona, "saoilidh mi gun thuit mise na mo chadal, 's nuair a ràinig sinn Malaig – cuimhnich? – chuir i ann an loidhne sinn a-rithist 's lean sinn i sìos a' ghangway 's a-nall chun an trèana. Cha robh sin cho buileach dona, ochdnar anns gach carriage.

"There was nothing on my mind but getting away," said Catrìona Ruadh. "I had heard so much about the pals going to church and to the dances, and the girls who had been to the herring told us how much easier the life they had in service was, compared with the hard work that went with the herring – standing there from early till dark in the cold, your hands full of sores from the salt."

My mother pulled a face, "Do you remember that horrible[8] woman that was on the bus? She noted our names and she told us we would have to stay together, that we would have to form an orderly line from the bus to the boat, and she would show us where we were going to be on the boat. Do you remember! She told us she would take us to the toilet, if we needed. Anyway, that did not last long. As soon a slight roll began, hand after hand started going up, 'Please Miss may I leave the room,' we would say, as we were used to saying in school. But once she realised that we were simply making for the deck, retching and vomiting at the rail, she gave up on us and sat looking at us with a sour face like a cow left unmilked.

"Anyway," said Catrìona, "I think I fell asleep. When we got to Mallaig – remember? – she formed us into a line again and we followed her down the gangway and over to the train. That wasn't so bad, eight of us in each carriage.

"'S ann an uair sin a fhuair sinn cothrom – nuair a dh'fhalbh cur-na-mara dhinn – na sandwiches a bha ar màthraichean air an cur nar cois ithe. Chòrd an trèana rinn, uill, riumsa co-dhiù. Thàinig an latha 's bha sinn a' stad aig na stèiseanan, daoine a' tighinn 's a' falbh. Cnuic, 's aibhnichean, 's muir 's lochan, 's a' dol tro na tunailean! Cha robh sinne a-riamh air cluinntinn mu na tunailean. Gu fortanach dh'innis tè dhen a' chlann-nighean dè bha a' tachairt. Ach, 's e na craobhan! Craobhan anns a h-uile àite. Tha e a' cur iongnadh ormsa fhathast gu bheil uiread de chraobhan air tìr-mòr.

"Nuair a ràinig sinn stèisean mhòr Ghlaschu," arsa mo mhàthair, chuir an tè ghrànda sinn ann an loidhne aon uair eile 's stiùir i sinn tron an onghail 's na daoine, 's iad cho pailt ri na cuileagan, gu bus eile. 'S dh'fhalbh sinn an uair sin a-mach gu Lenzie far an robh a' cholaist'. Bha sinn cho sgìth ri coin air feasgar latha faing[9]"

"Feumaidh sinn tuilleadh teatha," thuirt mo mhàthair. Bha iad air an call fhèin a' còmhradh 's a' cuimhneachadh, 's cha robh mo mhàthair toilichte nach robh i air Catrìona a fhrithealadh mar bu chòir dhi 's i air a thighinn a shealltainn oirre. Ach, mus do dh'fhalbh i a-steach 's ann a bhuail i a làmh air a beul agus 's ann a shuidh i a-rithist,

"Cha dhìochuimhnich mise an latha sin ann am bith," thuirt mo mhàthair.

"Cha dhìochuimhnich m' onair," arsa Catrìona.

"Thug fear a' bhus dhuinn ar ceusaichean. Sheas sinn anns a' reception, man a bh' aca air, 's dh'èigh Miss Smith ainm mu seach 's chaidh sinn far an robh i, 's rug i air làimh oirnn. Bha sianar mu seach againn an uair sin a' falbh còmhla ri

"It was then we got the opportunity – once the seasickness had left us – to eat the sandwiches our mothers had sent with us. We liked the train – well, I liked it, anyway. Daylight came and we were stopping at stations, people coming and going. Hills, rivers, sea, lochs – and going through the tunnels! We had never heard about tunnels. Fortunately one of the girls explained what was happening. But the trees! Trees everywhere. It still amazes me that there are so many trees on the mainland."

"When we got to the big station in Glasgow," said my mother, "the ugly one formed us into a line once more, and she guided us through the racket and the people (as plentiful as flies) to another bus. And then we went out to Lenzie, where the college was. We were as tired as dogs on the evening of a fank day[10]*."*

"We need more tea," said my mother. They had become lost in their talking and remembering and my mother was not happy that she had not attended properly to Catrìona who had come to see her. But before she made to go in, she clapped her hand to her mouth, and sat down again,

"I will never forget that day," said my mother.

"No, certainly[11] *not, " said Catrìona.*

"The bus driver gave us our cases. We stood in the reception, as they called it, and Miss Smith called us each in turn and we went up to her and she shook our hands.

tè dhe na boireannaich òga a bha ag obair anns a' cholaist' suas dha na dormitories. 'S e Miss MacNeil a bh' air an tè a thug sinne suas. A bheil fhios agad, cha tàinig e a-steach orm gur dòcha nach biodh sinn còmhla? Ach co-dhiù, sheall i sin ar leapannan dhuinn, taobh ri taobh, 's thuirt i rinn ar còtaichean 's ar ceusaichean fhàgail ann an sin.

"Dh'fhalbh sinn an uair sin sìos chun an dining room mòr le bòrd aig gach dormitory le na sianar còmhla. Ghabh Miss Smith an t-altachadh 's thòisich iad an uair sin a' toirt dhuinn ar biadh 's iad ag innse 's a mìneachadh a h-uile dad: dè man a chleachdadh sinn an cutlery; dè man bu chòir dhuinn a bhith ag òl brot. 'S Oh, bha am biadh math! Bha a h-uile càil a bh' ann cho ùr dhuinn. Cha chreid mi gun chòrd biadh rium cho math a-riamh às dèidh sin ach glè ainneamh.

Cha robh ciall sam bith againn an uair sin gum biodh sinne a' dèanamh a h-uile dad an ceann seachdain, agus gur e iadsan a bhiodh nan suidhe agus sinne gam frithealadh. 'S gum biodh sinne a' nighe 's a' pasgadh, 's ag iarnaigeadh, 's a càradh leapannan, 's a' cur bùird, 's a' deasachadh biadh, 's a' glanadh, 's a' sgioblachadh, 's ag ionnsachadh a h-uile dad a dh'fheumadh sinn airson na cailleachan grinn a thigeadh gar h-iarraidh.

"Thill Miss MacNeil sinn dhan an dormitory às dèidh cuairt a thoirt air a' cholaist'. Thug i dhuinn washbag an tè, 's thug i an uair sin dhan a' bhathroom sinn 's sheall i dhuinn na goireasan gu lèir: a' flush, 's an toilet paper, 's man a bha na tapaichean ag obair. 'S chaidh sinn an uair sin a chur oirnn ar n-aodach oidhche, 's nuair a thill sinn dh'innis i dhuinn gu feumadh sinn bath a ghabhail a h-uile feasgar Diciadain, agus

Six of us at a time were then taken by one of the young women who worked at the college, up to the dormitories. The one that took us up was called Miss MacNeil. Do you know, it didn't occur to me that we would not be together? But, anyway, she showed us our beds – side by side – and she told us to leave our coats and cases there.

"We then went down to the big dining room, with a table for each dormitory, the six together. Miss Smith said grace and they began to serve us our food, telling us, and explaining everything: how to use the cutlery; how we should sip broth. And Oh, the food was good! Everything was so new to us. I don't think I enjoyed food so much ever again, except on a very few occasions.

We didn't understand then that we would be doing it all within a week, and that they would be the ones seated, with us serving them. And that we would be washing, and folding, and ironing, and making beds, and setting tables, and preparing food, and cleaning, and tidying, and learning everything we needed for the elegant old ladies who would come to get us.

"Miss MacNeil took us back to our dormitory, after a walk around the college. She gave us a wash-bag each and she took us into the bathroom and she showed us all the conveniences: the flush, the toilet paper, and how the taps worked. And we went then to put on our night clothes. And when we returned, she told us that we would have to

gu faigheadh sinn aodach leapa agus tubhailtean ùr an uair sin cuideachd.

“Ach, ’s ann an uair sin a chaidh cùisean man a chaidh iad! Thug Miss MacNeil a-mach an doile ’s i liormachd ’s thòisich i a’ sealltainn mar bu chòir dhuinn ar nighe fhèin, ’s ciamar, ’s càite, ’s dè man bu chòir dhuinn sin a dhèanamh. Uill, bha an doile fada ro nàdarrach ’s bha sinne air ar nàrachadh! ’S iongantach gun deach sinn os a chionn.”

“Oh, Chruthaigheir!” arsa Catrìona Ruadh ’s i a’ crathadh a cinn, “bha mise gu dìobhairt.”

(Feumaidh mi ràdh gu robh ceistean agamsa, na mo bhalach, a lùiginn fhaighneachd, ach rinn mi an-àirde m’ inntinn gum biodh e na bu bhuannachdail dhomh gun aire tharraing thugam fhìn. Bha amharas agam co-dhiù nach còrdadh na ceistean ri mo mhàthair, ged a b’ àbhaist do mo chuid cheistean a bhith a’ còrdadh ri daoine eile.)

Dh’èirich mo mhàthair agus dh’fhalbh i a dh’iarraidh teatha.

“Ach, ’s e daoine gasta a bh’ annta,” thuirt Catrìona Ruadh. “Bha Miss Smith man an t-òr, ’s bha Miss MacNeil uabhasach snog. Saoilidh mi gur e Gàidheal a bh’ innte ged nach cuala mi facal Gàidhlig aice a-riamh.”

* * *

Lìon mo mhàthair cupan eile.

“Siuthad, nach ith thu rudeigin, ’s gun thu air càil a ghabhail.”

“Nach do ghabh mi sgona, ’s i àlainn. Ach gabhaidh mi pìos cèic. Tha mi làn a’ falbh nan taighean,” thuirt Catrìona Ruadh.

take a bath every Wednesday evening; and that we would get a change of bedclothes and towels then also.

"But it was then that things took the turn they did! Miss MacNeil got a doll out which was naked and she began to demonstrate how we should wash ourselves, and how and where that should be done. Well the doll was far too realistic and we were affronted. It is a wonder we ever got over it!"

"Oh Creator!" said Catrìona Ruadh, shaking here head, "I was nearly sick!"

(I must say that I had questions, as a boy, that I would have liked to ask. But I decided that it would be more profitable for me if I did not draw attention to myself. I suspected, anyway, that my mother would not like my questions – although my questions seemed to be liked by other people.)

My mother got up and she went to get tea.

"But they were kind people," said Catrìona Ruadh. Miss Smith as good as gold and Miss MacNeil was very nice. I think she was a Gael – although I never heard her speak a word of Gaelic."

* * *

My mother filled another cup.

"Come on, won't you eat something? You haven't eaten anything!"

"I did have a scone and it was lovely. But I'll have a piece of cake. I'm full from visiting houses," said Catrìona Ruadh.

"'S ann còmhla ri na Wolfsons a chaidh thusa?"

"Oh 's ann aig a' cheann thall," fhreagair mo mhàthair. "Iùdhaich. Daoine gasta. Bha iad math dhòmhsa. 'S e an aon rud air a bheil cuimhne agam nach do chòrd rium, 's e bhith a' toirt a' bhracaist chun a' bhodach – sgadan amh air a bhogadh ann an olive oil! Dh'aithnich Mistress Wolfson orm nach robh e a' còrdadh rium, 's thuirt i gum bu chòir dhomh fheuchainn. Dhiùlt mi agus chùm mi orm gun dìobhairt gun do ràinig mi an taigh-bheag."

"Uill," arsa mo mhàthair, "cò aige a tha fios càite am biodh sinn an-diugh nam biodh cùisean air a dhol leinn nuair a chaidh sinn chun an Recruitment Office aig toiseach a' chogaidh. Bha na balaich a dh'aithnicheadh sinne anns an Navy, 's bha sinne ag iarraidh a dhol dha na WRENs, 's fhios againn gu feumadh sinn falbh a Lunnainn. Ach, nuair a ràinig sinn an deasg thuirt an tè a bha sin gu robh feum air boireannaich òg man sinne ann an siud fhèin, 's chuir i gu deasg eile sinn. 'Experienced domestics,' thuirt am fear sin. Sin man a bha sinne ann an ospadal mhòr Gartnavel[12] mus do sheall sinn rinn fhìn."

"'S iongantach nach deach sinn à cochall ar cridhe," arsa mo mhàthair. "Na bodaich ann an sin, feadhainn aca letheach liormachd anns an aon chruth fad an latha. Feadhainn eile falbh 's ag èigheachd, 's feadhainn eile air an ceangal ri na leapannan. Chuireadh e feagal agus truas ort aig an aon àm."

"Agus 's ann ann an sin a thàinig thu an lùib Murdag Carnaidh à Liùrbost, agus troimhpe-se Tormod. Cha d' fhuair

"You went with the Wolfsons?"

"Oh, yes, in the end," replied my mother. "Jews. Kind people. They were good to me. The one thing I remember that I didn't like was taking his breakfast to the old man – raw herring soaked in olive oil! Mistress Wolfson realised that I didn't like it and she said I should taste it. I refused and kept going without vomiting, until I made it to the toilet."

"Well," said my mother, "who knows where we would be today if things had gone as we wanted when we went to the Recruitment Office at the beginning of the war! The boys we knew were in the Navy, and we wanted to join the WRENs, knowing we would have to go to London. But when we got to the desk, the woman that was there said that there was a need for young women like us there – and she sent us to another desk. 'Experienced Domestics,' said the man, and that was how we found ourselves in the huge Gartnavel[13] Hospital before we could blink[14]."

"It's a wonder that we didn't have heart attacks[15]," said my mother. "The old men there, some of them half naked and frozen in one position all day long. Others wandering and shouting; and others tied to their beds. It was frightening and pitiful at the same time."

"And it was there that you came across Murdag Carnaidh from Liùrbost, and through her, Tormod. He was always

e a-riamh ach Tormod nan Loch bho thàinig e a Bheàrnaraigh. Nach ann aig muir a bha e nuair a choinnich sibh?"

"Oh 's ann," arsa mo mhàthair. "Cha robh e aig an taigh ach boillsgidhean. Chùm e air aig muir às dèidh dhuinn pòsadh. Bha e ann an Napier, ann an New Zealand, nuair a thàinig Iain Beag. Chuir e litir a' cantainn gum bu chòir dhuinn Donald Napier MacLeod a thoirt air, ach bha mise air a registeraigeadh mus tàinig i. 'S ann às dèidh Dhòmhnaill Iain, bràthair athar a chailleadh aig muir a tha e, ged as e Iain a th' againn air.

"Bha Tormod air a bhith na ASDICS[17] operator anns an Navy. Chaidh a chluais a mhilleadh aig muir – fhuair e 'blastback' – 's chaidh a chur a theagasg dhaoine eile. Chaidh e an uair sin a chur airson greis dhan an Nèibhidh Chanèidianach, 's bha e làn dhe cho math 's cho adhartach 's a bha Canada, 's gu h-àraid Ameireagaidh, an taca rinne. Tha mi a' smaoineachadh gum biodh e air a dhol a-nall a sin anns a' bhad nam biodh e air an cothrom fhaighinn."

"Uill," arsa Catrìona Ruadh 's i a' dèanamh lachan, "ma bha Tormod air faighinn faisg air Ameireagaidh 's e film star a bh' air a bhith ann. Ma bha duine a-riamh air aghaidh na talmhainn a bha a' freagairt 'tall, dark and handsome' b' e esan! Bha rudeigin aig a' chlann-nighean gu lèir mu dheidhinn."

"Oh 's e sin a bhios iad a' cantainn," thuirt mo mhàthair. 'S rinn mi mach oirre nach robh i cofhurtail ged a bha fhios aice gur ann a bha Catrìona a' tarraing aiste.

called Tormod nan Loch ever since he came to Berneray. Wasn't he at sea when you met?"

"Oh, yes," said my mother. "He only came home for a few days[16] *at a time. He remained at sea after we were married. He was in Napier, New Zealand, when Iain Beag came. He sent a letter saying that we should call him Donald Napier MacLeod, but I had registered him before the letter came. He was named after Dòmhnall Iain, an uncle who was lost at sea, although we call him Iain."*

"Tormod had been an ASDICS[18] *Operator in the Navy. His ear was injured at sea – he got a 'blast-back' – and he went to teach others. Then he was sent for a while to the Canadian Navy and he was full of how good and advanced Canada was – and especially America – compared to us. I think he would have gone to America at once, if he had got the opportunity."*

"Well," said Catrìona Ruadh, chuckling, "if Tormod had got near America he would have been a film star. If there was ever a man on the face of the earth that fitted 'tall, dark and handsome' it was him! All the girls had something for him."

"O that is what they say," said my mother, and I could tell that she was uncomfortable, although she knew that Catrìona Ruadh was only teasing her.

"Càite a bheil e an-dràsta?" dh'fhaighnich Catrìona.

"B' fheudar dha falbh gu muir, deep sea, 's gun cosnadh ann an seo ann. Bidh e gu deas air Aden a-nis air a shlighe a dh'Astràilia. 'S ann à Aden a thàinig an litir an t-seachdain sa chaidh. Tha dùil agam ris ron a' Bhliadhna Ùr."

"An creideadh tu gu robh sia bliadhna ann mus do thill mise dhachaigh. 'S ann nuair a thòisich sinn a' faighinn leave aig àm a' chogaidh a thàinig mi còmhla ri Iain mo bhràthair, 's esan anns an Nèibhidh. Dh'fhalbh mi às an taigh-dhubh[19] 's thill mi dhan an taigh-gheal, 's tha mi nise air falbh às a' bhaile mhòr, 's air a thighinn dhachaigh."

"Oh thig an rud a thig," thuirt Catrìona Ruadh Dhanaidh Choinnich.

"Where is he just now?" asked Catrìona.

"He had to go to sea, 'deep sea', there's no earnings here. He'll be south of Aden now, on the way to Australia. His letter came from Aden last week. I'm expecting him before the New Year."

"Would you believe that six years passed before I retuned home. It was when we began to get leave during the war that I came with my brother Iain. He was in the Navy. I left from the black house[20] *and I came back to the white house, and now I have left the big city and come home."*

"Oh. What will come will come," said Catrì~~ona~~ Ruadh Dhanaidh Choinnich.

A' dol air Falbh - Notaichean

1. Tha an taigh air leathad cas agus, aig ceann an taighe, bha an talamh a' tuiteam gu mòr. 'S ann an seo a bha na pallachan. Àite cunnartach dha clann – agus beathaichean is inbhich!

3. Bhiodh mòran chlann-nighean às na h-Eileanan Siar ag obair mu chosta na h-Alba is Sasainn a' cutadh sgadan anns an 19mh agus tràth san 20mh linn.

5. Oifis fastaidh. 'S e Jobcentre a th' air an-diugh.

7. sgillinn

9. Latha trang nuair a thèid caoraich a' bhaile a chruinneachadh ann an crò (faing) airson rùsgadh, leigheas msaa. Faic caibideil 3.

12. Ospadal inntinn ann an Glaschu

17. B' e inneal 'sonar' a bh' ann an ASDICS a chleachdadh ann an luing-chogaidh gus bàtaichean-aigeil a lorg. Bhiodh iad a' cur a-mach siognail dealanach agus ag èisteachd ris a' tilleadh. Shàbhail am 'blastback' a dh'fhuiling m' athair a bheatha. Beagan làithean às dèidh dha a dhol far an t-soithich gus fàs nas fheàrr chailleadh i agus a h-uile duine air bòrd. Bha an cùil far an robh an t-inneal ASDIC aig fìor bhonn an t-soithich agus 's ann ainneamh a fhuair fear-asdic às le bheatha à bàta a chaidh fodha, ma fhuair idir.

19. taigh-dubh: taigh-tughaidh traidiseanta gun similear agus le teine am meadhan an làir a bha cumanta anns a' Ghàidhealtachd gus an 20mh linn nuair a thogadh 'taighean-geala' le mullaichean sglèat, agus aol air na ballachan.

2. The house is set on a steep hill. In front of the area at the end of the house was a steep drop interrupted by a series of stone ledges: 'na pallachan'. A danger to children – and to animals and adults!

4. Many girls from the Western Isles worked as herring gutters around the coasts of Scotland and England in the 19th and early 20th centuries.

6. Labour Exchange, now called a Jobcentre.

8. Lit: 'blackguard'

10. A busy day when all the sheep in a village are collected in a pen ('fank') where they can be sheared, treated for parasites etc. See chapter 3.

11. Lit: '(upon) my honour'

13. A mental hospital in Glasgow

14. Lit: 'before we looked at ourselves'

15. Lit: 'leave the shell of our heart'

16. Lit: 'glimpses'

18. A sonar device used in warships for detecting submarines. The operators sent out electronic signals and listened for them to be reflected back. My father's 'blastback' saved his life. The ship he was discharged from to recuperate was lost with all hands just days later. The ASDIC compartment was at the very bottom of the ship. Few, if any, operators survived sinkings.

20. A traditional thatched stone cottage which did not have a chimney and where the hearth was in the middle of the floor, once common in the Highlands and Islands until replaced during the 20th century by 'white houses' which had slate roofs and harled walls.

3 - Latha na Faing

"Mamaidh," arsa mise, "cha tèid Queen dhan a' gheòla." Bha mi air an staran aig doras a' scullery tràth air latha ciùin samhraidh 's an teas gun a thighinn fhathast.

"Oh, cha dèan Queen dad dha d' athair," thuirt mo mhàthair 's i a' tighinn a-mach. Thug i bhuam a' ghlainne a bha ro throm dhòmhsa 's chuir i gu a sùilean i.

Feumaidh e bhith gur e daoine brùideil a bh' anns na Gearmailtich a bha sna submarines aig àm a' chogaidh, "Chan eil dad a dh'fheum anns na glainneachan aig na U boats, tha iad fada ro throm," chanadh m' athair. 'S bha e fhèin air a' ghlainne aotrom a bh' againn airson a dhol gu caoraich a thoirt leis 's i crochte ann an cèis air a ghualainn. 'S còmhla rithe thug e leis tè de bhataichean mo sheanar, fichead Capstan, agus bucas mhatch. (Dh'fhàg e ad às a dhèidh – cha do chuir e bonaid a-riamh air a cheann ach fedora. Bha fallas an trusaidh gu bhith pailt gu leòr às a h-aonais.)

3 - *The Day of the Fank*

"Mammy," I said, "Queen won't go into the boat." I was on the path at the scullery door, early on a still summer morning, the heat yet to come.

"Oh, Queen won't do anything for your father," said my mother, coming out. She took the binoculars that were too heavy for me, and put them to her eyes.

The Germans that were in the submarines during the war must have been brutes, "These U-Boat glasses are no use, they're far too heavy," my father would say. He had taken the light binoculars we had for going after sheep, slung on his shoulder in a case. And with them, he took one of my grandfather's walking sticks, twenty Capstan and a box of matches. (He left his hat behind – he never put a bonnet on his head but a fedora. The sweat of the sheep-gathering was going to be plentiful enough without it.)

Sheas sinn air taobh a-muigh an taighe, a' coimhead sìos gu bùth a' chladaich agus taigh a' chladaich – bùth agus dachaigh Nèill Alasdair. Bha Ailig John agus m' athair air geòla Nèill Alasdair a tharraing a-steach, 's i air bhog beagan shlatan bho chidhe Nèill Alasdair ann an Tòb Nèill Alasdair. (Ged a bha seann ainm air Tòb Nèill Alasdair agus ged a chaidh clachan a' chidhe an cur nan àite fada mus tàinig Niall Alasdair, no fiù 's a shinn-seanairean, dhan an t-saoghal, 's e goireasan Nèill Alasdair a bh' annta.)

"Uill," arsa m' athair nuair a thàinig e a dh'fhuireach a Chirceabost, "'s ann a shaoileas tu gun deach an t-àite a chruthachadh do Niall Alasdair!"

Ach, bha sin mus do choinnich m' athair ri Niall Alasdair. Dh'aithnich e an uair sin cò bh' aige 's thuig e an spèis a bh' aig muinntir Chirceaboist do Niall Alasdair.

"Siud agad e!" arsa mo mhàthair. "Tha Ailig John air Queen a thogail dhan a' gheòla." 'S leis a sin chuir Ailig John ràmh air a' ghrunnd 's dh'fhalbh a' gheòla le na trì coin, Bess aig Ailig John, Fly aig Dòmhnall Mhurchaidh Sgodaidh agus Queen againn fhìn, 's na fireannaich nan cois.

"Mamaidh! Mamaidh!" arsa mise, "Seall! Tha Tormod a' Spung aig taigh Nèill. Tha iad a' falbh às aonais."

Rinn Tormod a' Spung air a' chidhe le ceumannan mòr 's e ag èigheachd ri na seòid a bh' aig muir. Chùm Ailig John air ag iomradh, a' leigeil air nach cuala e e. Ach, an uair sin, thionndaidh e a' gheòla 's thill iad. 'S bha sinne a' cluinntinn mac-talla nan guthan 's a' ghàireachdainn a' tighinn thugainn tarsainn air na feannagan[2] 's a-nuas an leathad.

We stood outside the house, looking down to the shop-at-the-shore and the house-at-the-shore, Niall Alasdair's shop and home. Ailig John and my father had drawn Niall Alasdair's boat in from where she had been moored a few yards from Niall Alasdair's quay in Niall Alasdair's Bay. (Although there was an ancient name for Niall Alasdair's Bay and although the stones of the quay had been put in place long before Niall Alasdair – or, indeed his ancestors – had entered the world, these were Niall Alasdair's amenities.)

"Well," said my father, when he came to live in Circeabost, "You would think the place had been created for Niall Alasdair!"

But that was before my father met Niall Alasdair. He recognised then who he was and he understood the respect that the people of Circeabost had for Niall Alasdair.

"There you are!" said my mother. "Ailig John has lifted Queen into the boat." And with that, Ailig John put an oar to the seabed and the boat went off with the three dogs, Ailig John's Bess, Dòmhnall Mhurchaidh Sgodaidh's Fly and our own Queen, and with them, the men.

"Mammy! Mammy!" I said. "Look! Tormod a' Spung is at Niall's House. They're going without him."

Tormod a' Spung made for the quay, taking big steps, shouting at the men[1] at sea. Ailig John kept rowing, pretending that he couldn't hear him. But then he turned the boat and they returned, and we could hear the echoing voices and laughter coming to us across the lazybeds[3] and up the hill.

"'S ann a bh'ad a' tarraing às," thuirt mo mhàthair.

Thòisich an uair sin srann an outboard, 's bha iad air an slighe chun an trusadh. Bha bàtaichean eile a' tòiseachadh a' nochdadh, ach cha do dh'fhuirich mise gan coimhead. Cha do chòrd am muir riumsa a-riamh, 's bha fhios 'am gum biodh sinne cuideachd a' falbh suas gu faing Thòranais ro tràth-diathad.

* * *

Chrom mi fhìn 's mo mhàthair sìos an leathad, mise le baga beag le trì deimheisean agus pìosan sìoman Theàrlaich[iii], mo mhàthair le dà bhiast de bhaga gus stracadh le biadh airson picnic Thòranais. "Oh chan eil dad coltach ri blas biadh a-muigh am measg an fhraoich," chanadh i – 's dh'aontaichinn fhìn leis an sin!

"Greasaibh oirbh, greasaibh oirbh!" dh'èigh Seònaid Ailig John, 's i na seasamh air cidhe Nèill Alasdair, gàire anns a' ghuth aice mar a b' àbhaist.

"Abair latha!" arsa Murchadh Sgodaidh. Cha robh esan gu bhith trusadh 's e suas ann am bliadhnaichean, 's bheireadh e na boireannaich a Thòranais anns a' gheòla aige fhèin.

"Nach eil i mìorbhaileach!" thuirt Catrìona Thormoid a' Spung. "Thuirt Mòrag gun dh'fhalbh Dòmhnall Calum tràth còmhla ri Fionnlagh," thuirt i 's leth dhùil againn gum biodh e a' tighinn còmhla rinn.

Chuidich Murchadh Sgodaidh na boireannaich dhan a' gheòla, 's chuir e na pocannan sgiobalta anns a' cheann chaol. Leth shìn mise air pìle phocannan clòimhe 's mi

"They were only teasing him," said my mother.

Then came the snore of the outboard and they were on their way to the sheep-gathering. Other boats began to appear but I didn't stay to watch them. I never liked the sea and I knew that we too would be bound for the fank at Tòranais before lunchtime.

* * *

My mother and I descended the hill, I with a small bag with three shears and pieces of 'sìoman Theàrlaich[iv]'; my mother with two huge[4] bags, bursting with food for the picnic at Tòranais. "O there is nothing like the taste of food outside among the heather," she would say – and I would agree with that myself!

"Hurry up! Hurry up!" shouted Seònaid Ailig John, standing on Niall Alasdair's quay, with laughter in her voice, as usual.

"What a day!" said Murchadh Sgodaidh. He wouldn't go sheep-gathering, since he was up in years, and he could take the women to Tòranais in his own boat.

"Isn't it wonderful!" said Catrìona Tormod a' Spung. "Morag said that Dòmhnall Calum left early with Fionnlagh," she said. We had half expected that he would go with us.

Murchadh Sgodaidh helped the women into the boat and he put the bags neatly in the prow. I half lay on a pile of wool-bags, looking down to the sea-bed. I could see down to

a' coimhead sìos gu grunnd na mara. Chithinn sìos chun a' làthaich far am biodh sinn a' faighinn na mursaichean. Chithinn feamainn, 's corra chlach agus iasg no dhà. Thòisich srann an outboard, chaill mi sealladh air a' ghrunnd 's thòisich mi a' smaoineachadh air an doimhne a bha fodhainn, agus air na beathaichean iargalt anns an fhairge: sgeitean, 's trosgan, 's bodaich ruadh; 's na crùbagan 's na rionnaich a dh'itheadh na mairbh. Dè nam biodh sinne air ar bàthadh?

* * *

Thàinig boireannach àrd le fiaclan mòr agus glainneachan dubh a chèilidh turas 's gun dad air a h-aire ach innse dha mo sheanmhair man an tè a chuir às dhi fhèin,

"Dhùisg an truaghan duine a bh' aice 's gun fhios aige gu robh i air èirigh. Shaoil e an toiseach gu robh i air a dhol gu a piuthar, ach an uair sin dh'aithnich e nach robh i air a h-aodach a chur oirre. Cha do lorg iad i gu feasgar. Bha i ag bonn creag mara 's i air a bàthadh. A falt am measg an fheamainn 's i na h-aodach oidhche, le a sùilean 's a beul fosgailte."

"Well, well," arsa mo sheanmhair 's i air falbh. "Abair seanchas!"

Cha tuirt mise bìog 's mi na mo shìneadh air cùl an settee a' sgrùdadh na leabhraichean a bha ag innse man a bhiodh na h-Èiphitich a' deasachadh na mairbh airson an cur dha na pyramids.

* * *

Bha fuaim an outboard a' fàs na b' fhaide às. Dè chunnaic mi an uair sin ach geòla Nèill Alasdair, 's na pèileagan a' cur nan caran timcheall orra. Rug Tormod a' Spung air pèileag 's i air

the quick-sand where we got razorfish. I could see seaweed, the odd stone and a fish or two. The snore of the outboard began. I lost sight of the sea-bed and I began to think about the depth that lay beneath us – and the horrible beasts of the sea – skate and cod and codling – and the crabs and mackerel that would eat the dead. What if we were drowned?

* * *

A tall woman with big teeth and black glasses came to visit once who was determined to tell my grandmother about the woman who had taken her own life.

"Her poor husband woke not knowing that she had got up. At first he thought she must have gone to her sister's, but then he realised that she had not got dressed. They didn't find her until evening. She was at the bottom of a sea cliff, drowned, her hair amongst the seaweed, in her night clothes, with her eyes and her mouth open."

"Well, well," said my grandmother, once she had gone, "what a story!"

I did not say a cheep, lying behind the settee, studying the books that told how the Egyptians prepared the dead to put them in the pyramids.

* * *

The sound of the outboard was getting farther away. What did I see then but Niall Alasdair's boat, with porpoises cavorting around it. Tormod a' Spung seized a porpoise as it leapt and he held it in his lap, although it was flapping

leum 's chùm e na uchd i, ged a bha i a' placail 's a' strì airson faighinn às. Bha i cho mòr, 's gu robh a ceann a-mach air aon taobh na geòla agus a h-earball a-mach air an taobh eile. Rinn iad air tìr ach bha a' gheòla a' dol fodha beag air bheag, m' athair agus Ailig John a' taomadh, 's Dòmhnall Mhurchaidh Sgodaidh a' stiùireadh gu tìr. Thòisich mise ag èigheachd...

* * *

"Seo sinn," arsa mo mhàthair, 's gheàrr Murchadh Sgodaidh fuaim an outboard 's sheòl sinn glan tro na h-eathraichean eile a bh' air cruinneachadh às gach àird. Leum Murchadh Sgodaidh gu creag 's bha sinn ann an Àrd Thòranais.

Cha robh sinn ach air toman math rùsgaidh a lorg, an ìre mhath faisg air geata na faing, nuair a chuala sinn na caoraich a' mialaich man pìobaire air feasgar samhraidh – aonranach, fad' às.

Mus do sheall sinn rinn fhìn, nochd an onghail ma ghualainn a' chnuic – na coin le corra chomhart a' ruith 's a' crùbadh 's iad a' trusadh, 's a cròthadh, 's a' stiùireadh a' sprèidh gu geata faing Thòranais, bha air a togail mus bu chuimhne le duine.

Nuair a bha'd gu bhith againn stad iad airson dà dhiog. An uair sin rinn aon chaora (g' e bith cò thagh i airson a bhith na prìomhaire air a' latha ud) air a' gheat' agus càch air a cùl. Ceudan air cheudan de chaoraich a' ruith, 's na fireannaich a' clapadh an làmhan air an sliasaidean gan sgiùrsadh 's gan glèidheadh. Aon uair 's gun robh iad a-staigh 's an geata air a cheangal, bha iad air an cròthadh cho mòr 's gun saoileadh tu gu robh iad a' seasamh air muin a chèile.

about and struggling to get away. It was so big that its head was out of one side of the boat and its tail out of the other. They made for the shore, but the boat was sinking little by little, my father and Ailig John bailing and Dòmhnall Mhurchaidh Sgodaidh steering for land. I began to shout...

* * *

"Here we are," said my mother, and Murchadh Sgodaidh cut the noise of the outboard and we glided through the other boats that had collected from all directions. Murchadh Sgodaidh leapt onto a rock and we were in Àrd Thòranais.

We had just found a good shearing hummock, quite near to the gate of the fank, when we heard the sheep bleating, like a piper on a summer's evening, lonely and far-off.

Before we could blink[5], the uproar appeared over the shoulder of the hill, the dogs barking occasionally, running and crouching, herding and keeping, and steering the animals to the gate of the fank at Tòranais, which had been built before anyone could remember.

When they were almost upon us they stood still for two ticks. Then one sheep (whoever had selected her to be Prime Minister on that day) made for the gate with the rest behind her. Hundreds and hundreds of sheep running and the men slapping their hands on their thighs, shooing and herding them. Once they were inside and the gate fastened, they were so tightly penned that they seemed to be standing on each other.

Thàinig m' athair agus thilg e e fhèin air an toman againne, "Uill," arsa esan, "tha i teth, teth. Ro theth."

Thug mo mhàthair dha tubhailt a bha air a bhith timcheall air tè de na thermos flasks 's thiormaich e am fallas bho aodann. Thug mo mhàthair a-mach na pìosan.

"'S e beannachd a th' anns na thermos flasks," thuirt i. (Bha cuid eile a' togail teintean airson coire a ghoil.) Bha blas a' fhraoich air a h-uile gàmag, 's bha sinne sàmhach ag ithe.

"Cà'il an cù?" dh'fhaighnich mo mhàthair.

Cha robh mise air mothachadh gun robh an cù a dhìth.

"Oh bidh i ann an seo a dh'aithghearr," thuirt m' athair.

Dh'fhalbh na fireannaich a-steach am measg a' mhialaich mar gum biodh iad a' grunnachadh, a' coimhead airson a' mharc[v] aca fhèin. B' e am marc againne gorm air cùl na h-amhaich, 's dearg os cionn an earbaill. Rug m' athair air tè, thog e i, 's thug e chun a' gheat' i, 's cha b' ann gun oidhirp. Chuir e air a druim i air an toman, 's cheangail e na casan aice le pìos sìoman Theàrlaich[7], 's dh'fhalbh e a dh'iarraidh tèile.

Bha feagal na sùilean ach cha do dh'fheuch i ri faighinn às idir. Thog mo mhàthair an deamhais 's thòisich i a' fosgladh an rùsg aig a broilleach. Chùm i oirre, air a faiceall gun a ràinig i an cnàimh-droma, 's chuir i car dhith. Rinn i an taobh eile, 's thuit an rùsg slàn gu talamh.

Bha na fireannaich a' slaodadh chaoraich 's man bu mhotha a bha iad a' toirt às an fhaing, 's ann a b' fhasa a bha e. Chùm mo mhàthair oirre a' rùsgadh 's an uair sin thòisich m' athair. Bha iad a' leigeil às an fheadhainn a

My father came and threw himself on our hummock. "Well," he said, "it's hot, hot. Too hot."

My mother gave him a towel that had been wrapped round one of the thermos flasks and he dried the sweat from his face. She got out the pieces[6]*.*

"The thermos flasks are a blessing," she said. (Some others were building fires to boil a kettle.) Every bite tasted of the heather and we were silent, eating.

"Where's the dog?" asked my mother.

I had not noticed that the dog was missing.

"Oh, she'll be here soon," said my father.

The men went in among the bleating as if they were wading, looking for their own mark[vi]*. Our mark was blue at the back of the neck and red above the tail. My father grabbed a sheep. He lifted her and took her to the gate but not without an effort. He put her on her back on the hummock, tied her legs with a piece of sìoman Theàrlaich*[8] *and went for another.*

There was fear in her eyes but she did not try to escape at all. My mother lifted the shears and she began to open the fleece at the chest. She kept going carefully until she got to the back-bone and she turned her over. She did the other side and the fleece fell whole to the ground.

The men were dragging sheep and the more they took from the fank, the easier it got. My mother kept on shearing and then my father began. They would release the sheep

bha iad air a rùsgadh, feadhainn dhiubh a' leum man uain, toilichte a bhith saor, aotrom, lom mu dheireadh thall.

Thàinig Ailig John agus Dòmhnall Mhurchaidh Sgodaidh a chuideachadh 's fhios aca nach robh mo phàrantan cho eòlach air rùsgadh ri daoine eile. Rùsgadh iadsan caora ann an dà mhionaid.

Phaisg iad na rùsgan leis a' chlòimh ghlan air an taobh a-muigh, buidhe le ola nan caorach. Cheangail iad iad le clòimh nan casan airson na rùsgan a chumail cruinn, 's chuir iad dha na pocannan mòr' bolla[9], deiseil airson an cur dhan an eathar.

* * *

Dh'fhàs onghail a' mhialaich 's fuaim na deamhaisean na bu chruaidhe 's na bu chruaidhe na mo chluasan a's an teas. Bha a h-uile duine a' dol man a b' urrainn dhaibh, 's cha robh dad agamsa a dhèanainn. Sheas mi a' coimhead an ùpraid. Chunnaic mi cù pìos bhuam – 's e Queen a bh' ann. Leth-shuidh i agus an uair sin thug i dà bhreab, a' cur fon an talamh na rinn i, mas fhìor.

"Bidh i ann an seo a dh'aithghearr," thuirt mi rium fhìn.

An ceann greis bha na caoraich againne air an rùsgadh. Shuidh sinn ri tuilleadh teatha.

"Uill," arsa mo mhàthair, "'s e na daoine sin, loibht le airgead, 's sprèidh gun chiall aca, ag obair 's ag obair fad am beatha, 's carson?"

Cha robh fhios agamsa cò air a bha i a-mach, 's cha robh dragh agam. Cha robh mi airson a' faireachdainn làidir a bha air a thighinn thugam aideachadh – cha robh Queen a' dol a thilleadh.

that were shorn, some of them gambolling like lambs, glad to be free, light, bare at last.

Ailig John and Dòmhnall Mhurchaidh Sgodaidh came to help, knowing that my parents were not as used to shearing as other people. They could shear a sheep in two minutes.

They folded the fleeces, with the clean wool to the outside, yellow with sheep oil. They tied them with the leg-wool to keep the fleeces tidy and they put them in big bags[10]*, ready to be put into the boat.*

* * *

The din of the bleating and the noise of the shears got harder and harder in my ears in the heat. Everyone was as busy as could be and there was nothing for me to do. I stood watching the uproar. I saw a dog a distance off. It was Queen. She half-sat and then she gave two kicks of her hind feet, as if to bury what she had done.

"She'll be here soon," I said to myself.

After a while, our sheep were shorn. We sat down to more tea.

"Well," said my mother. "It's these people! Rotten with money and with an enornmous flock, working and working all their lives. And what for?"

I didn't know who she was talking about, and I didn't care. I did not want to admit the strong feeling that had come to me: Queen was not going to return.

Chaidh sinn fhìn agus na pocannan clòimh còmhla ri Ailig John agus Seònaid ann an geòla Nèill Alasdair.

"Bidh Queen aig an taigh romhainn," thuirt mo mhàthair.

Cha tuirt m' athair càil. Chùm mise mo shùil air Tòranais cho fada 's a b' urrainn dhomh, ach cha do nochd Queen. Bha Ailig John ag innse ainmean an àit' dha m' athair 's gun eòlas aige fhathast air an eilean,

"Àrd Iarsiadair!" dh'èigh e os cionn fuaim an outboard, "Struth Iarsiadair, Loch Barraglom, Rubha Glas, Ceartaigh, Am Port Mòr."

Cha robh Queen romhainn aig an taigh, 's cha bhitheadh.

* * *

Dh'innis m' athair man a thachair aig bòrd a' bhìdhe. Cha mhòr gum b' urrainn dhòmhsa èisteachd.

"Man a tha fhios agaibh, cha dean an cù ud func dhòmhsa ach man a thogras i fhèin. Tha i math dha rìribh aig amannan ach aig amannan eile, ma dh'iarras mi oirre falbh a-mach nì i air na caoraich 's sgapaidh iad. 'S e sin a rinn i.

Bha sinn letheach slighe air ais, mu thrì mìle bhon fhaing, na caoraich a' falbh romhainn glè dhòigheil, Ailig John air an dàrna taobh dhìom 's Dòmhnall Calum air an taobh eile, na coin a' sguabadh na bha eadarainn, 's bha Queen a' dèanamh math. Ach an uair sin, dh'iarr mi oirre falbh a-mach 's rinn i air na caoraich 's bhiodh cùisean air a bhith ma sgaoil mura biodh Ailig John is Bess. Dh'èigh mise ri Queen 's mi maoidhinn oirre. Thog mi clach 's rinn i às, ged nach do thilg mi idir i."

We and the bags of wool went with Ailig John and Seònaid in Niall Alasdair's boat.

"Queen will be at home before us," said my mother.

My father said nothing. I kept my eye on Tōrānais as long as I could, but Queen did not appear.

Ailig John was telling my father the names of places as he was still unfamiliar with the island,

"Àrd Iarsiadair!" he shouted above the sound of the outboard. "Sruth Iarsiadair... Loch Barraglom... A' Rubha Glas... Cearstaigh... Am Port Mòr..."

Queen was not at home before us, nor would she be.

* * *

My father told what had happened at the meal table. I could hardly listen.

"As you know, that dog will do nothing for me, but only as she pleases. She is very good sometimes, but at other times if I ask her to 'get away out' she'll run at the sheep and scatter them. And that's what she did.

We were about half way back, about three miles from the fank, with the sheep going before us quite calmly. Ailig John on one side of me and Dòmhnall Calum on the other, the dogs sweeping what lay between us, and Queen was doing well. But then I commanded her to 'get away out' and she made for the sheep, and matters would have unravelled had it not been for Ailig John and Bess. I shouted at Queen, threatening her. I picked up a stone and she ran away, although I didn't throw it at all.

"Chan eile gnothaich aig an duine sin a bhith ri Queen, 's i h-innte cù m' athar," arsa Antaidh Chris fo h-anail, 's i aig an dreasair. Cha shuidheadh i aig bòrd còmhla rinn co-dhiù ach 's dòcha air Latha na Sàbaid. "Chan eil aige ri bhith rithe 's gun fhios carson a thàinig e a seo co-dhiù!" 'S dh'fhalbh i tron an taigh le deòir na sùilean.

Cha mhòr gun creidinn na bha tachairt. Bha fhios 'am nach robh m' athair a' còrdadh ri Queen. Bha i air dèanamh às mar-thà 's i air tilleadh dhachaigh chun an doras cùil far am biodh i na laighe.

"Oh, bidh i ann an seo a-màireach," thuirt m' athair. Bha fhios agamsa gun lùigeadh e gum biodh, gu robh e an dòchas gum biodh... ach nach robh e creidsinn gum biodh.

Dh'fhalbh mi mach a ghrian shocair an fheasgair, a' faicinn Queen anns na h-àiteachan àbhaisteach aice.

'S dòcha mura bithinn air leigeil às an eagal a bh' orm gun deigheadh Queen air chall nach biodh e air tachairt. Bha fhios 'am nach robh ann an sin ach seòrsa de bhuisneachd ach cha do thog sin an cuideam a bh' orm.

Thòisich mi ag ùrnaigh. Cha b' e na h-ùrnaighean beag' a bha Granaidh air ionnsachadh dhomh a chleachd mi, "Oh Dhè Ghràsmhoir," (bha fhios 'am dè man bu chòir dhut bruidhinn ri Dia, bha mi air a chluinntinn tric gu leòr) "bidh mi math gu sìorraidh, 's nì mi Do thoil ma thig Queen air ais."

Bha fhios 'am nach do rinn ùrnaigh feum sam bith aig àm Criosamus ach 's e cùis uabhais a bh' ann an seo. 'S dòcha gur e a bh' ann nach robh Dia a' toirt fideadh do rudan faoin.

"That man has no business having anything to do with Queen. She's my father's dog," said Aunty Chris under her breath at the dresser. She would never sit at table with us anyway, except perhaps on Sunday. "He shouldn't have anything to do with her. Who knows why he came here anyway?" And she went up through the house with tears in her eyes.

I could scarcely believe what was happening. I knew that Queen didn't like my father. She had made off before and returned to the back door, where she used to lie.

"Oh, she'll be here tomorrow," said my father. I knew that he wished she would, that he hoped she would... but that he did not believe she would.

I went out into the gentle evening sunshine, seeing Queen in her usual places.

Perhaps if I had not let go of my fear that Queen would go missing, it would not have happened. I knew that was a sort of supernatural belief[11]*, but that did not lift the weight I felt.*

I began to pray. It wasn't the little prayers that my grandmother had taught me that I used, "O Gracious God." (I knew how you should speak to God. I had heard it often enough.) "I will be good forever and I will do Your will, if Queen comes back."

I knew that prayer was of no use at Christmas time, but this was a grave matter. Maybe God paid no attention to trivial matters. I kept away the thought that things wished

Chùm mi bhuam an smuaint nach tachair rud air a bheil cus iarrtas – buisneachd eile. Ach, cha b' e seo an latha airson a bhith a' seachnadh buisneachd.

Anns an leabaidh, às dèidh dhomh sgur a ghal, cha b' urrainn dhomh smaoineachadh air rud mòr gu leòr airson Dia a tharraing gu mo thaobh. Thuirt mi gum bithinn deònach bàsachadh òg no dèanamh às aonais toys. Cha bhiodh feum sam bith ann bàsachadh anns a' bhad bhon cha tugadh sin gu Queen mi co-dhiù. Cha robh beathaichean beò às dèidh dhaibh bàsachadh. Bha mo sheanmhair air innse dhomh, 's mi na mo shìneadh anns an leabaidh còmhla rithe, ag èisteachd ri seanchasan a' Bhìobaill, nach robh anam ann am beathaichean 's nach b' urrainn dhaibh èirigh air Latha Bhreitheanais airson a bhith beò gu sìorraidh aig deas làimh Dhè.

Bha dealbh agamsa nam inntinn dhen latha dheireannach, man faing mhòr le daoine ann an loidhne dol seachad air Dia 's e a' coimhead ann an leabhar mòr leathair coltach ri leabhar mòr Nèill Alasdair anns am biodh e a' cumail cunntas air na fiachan. 'S chuireadh e chun an làimh cheart no cheàrr iad a rèir am peacannan. Dheigheadh a h-uile duine (a bhuineas dhòmhsa co-dhiù) gu làimh cheart Dhè.

"Seo sinn air an Latha Dheireannach," chanadh sinn, 's bha an dealbh fhèin ag innse a h-uile dad, man dealbh pòsaidh, 's chan fheumadh e barrachd mìneachadh ach cò bhuineadh do cò 's ma bha duine ann nach robh na Ghàidheal.

* * *

Air an dàrna latha, 's gun sgeul air Queen, bha mi buileach troimh-a-chèile. Cha b' urrainn dhomh sgur a rànail 's cnead

for too hard do not happen. Another superstition. But this was not the day to ignore superstitions.

In bed, after I had stopped weeping, I couldn't think of anything big enough to draw God to my side. I said I would be willing to die young, or to do without toys. There would be no use in dying instantly, because that would not reunite me with Queen anyway. Animals don't live after they die. My grandmother had told me, lying in bed beside her listening to the Bible stories, that animals do not have souls and that they could not arise on the Day of Judgement to live forever at the right hand of God.

I had a picture in my mind of the Last Day, like a big fank, with people in a line, passing before God. He would look in a big leather ledger, like Niall Alasdair's Big Book in which he kept an account of debts, and he would send them to the right hand or the left according to their sins. Everyone (related to me, anyway) would go to God's right hand.

"This was us on the Last Day," we would say, and the picture itself told everything – like a wedding photograph. It would need no further explanation except who was related to whom and if there was anyone who was not a Gael.

* * *

On the second day with no sign of Queen, I was really upset. I couldn't stop crying and sobbing. That was a comfort in

annam. Bha sin na chofhurtachd ann an dòigh, bha mi glaiste ann an saoghal beag dhomh fhìn, 's cha robh mi airson a thighinn às. 'S dòcha nan cumainn orm a' caoidh gun tilleadh sin fhèin thugainn i. Co-dhiù cha bhiodh e iomchaidh Queen a dhìochuimhneachadh airson diog.

Am bu chòir gràin a bhith agam air m' athair? Rinn mi an-àirde m' inntinn nach canainn facal ris ann am bith. Ach, an uair sin, dh'aithnich mi nach robh e ach airson Queen a cheartachadh man duine sam bith ag obrachadh cù. Dh'fhàs mi fiadhaich ri Queen. Carson a bha i cho fada na ceann? Bha mi riagail anns na h-àiteachan àbhaisteach agam fhìn, 's mi caillte ann an dubhar mo bhròin.

Cha tuirt duine rium a dhol dhan leabaidh gu gu math às dèidh meadhan oidhche. Bha mi a' cadal agus a' dùsgadh, bruadaran uabhasach: Queen marbh, no air a droch mhilleadh. Mi lorg Queen ann an geodha, i beò ach le ceann air sèid gu cruth mì-nàdarrach…

Dhùisg mi. Airson dhà no trì mhionaidean bha mi air mo dhòigh le cofhurtachd na leap' ach an uair sin thuit cuideam m' àmhghair orm. Chaidh mi sìos an staidhre. Bha mo mhàthair a' deasachadh na bracaist. 'S e latha brèagha samhraidh a bh' ann 's bha i air an doras cùil fhosgladh airson èadharag bheag a leigeil tron an scullery. Chaidh mi chun an doras 's choimhead mi a-mach.

Dh'fhairich mi glag na mo chlagainn 's chaidh mo thoinisginn tuathal. Ann an sin, na laighe slat no dhà bhon an doras cùil, bha Queen.

"Tha Queen air tilleadh!" dh'èigh mi.

a way. I was locked in my own small world and I did not want to come out of it. Perhaps if I kept on grieving, that, in itself, would return her to us. Anyway it would not be right to forget Queen for a second.

Should I hate my father? I decided that I would not say a word to him ever again. But then I realised that all he wanted to do was to correct Queen like anyone working a dog. I got angry with Queen. Why was she so stubborn? I wandered in my own usual places, lost in the shadow of my sorrow.

Nobody told me to go to bed until well after midnight. I was sleeping and waking. Terrible dreams: Queen dead or horribly mutilated. Finding Queen in a chasm, alive, but with her head unnaturally swollen...

I awoke. For two or three minutes I was happy in the comfort of the bed. But then the weight of my distress fell on me. I went downstairs. My mother was preparing the breakfast. It was a beautiful summer's day and she had opened the back door to let a little air pass through the scullery. I went to the door and I looked out.

I felt a clang in my head and my senses reeled. There, lying a yard or two from the back door was Queen.

"Queen has come back!" I yelled.

Leum mi an dà steap agus thilg mi mi fhìn oirre. Choimhead i rium le aon sùil 's rinn i seòrsa de shrann. Bha i salach 's bha i na bu chaoile, 's bha i cho sgìth ris a' chù.

Chaidil i fad an latha 's mise ga coimhead 's feagal orm nach robh i ceart. Ach às dèidh sin bha Queen man nach robh i riamh air a bhith air chall.

"Air an dùil," thuirt mise rium fhìn, "dè nì Dia ri na gheall mi?"

Ach, cha robh dragh agamsa. Bha Queen air tilleadh.

I leapt the two steps and threw myself on her. She looked at me with one eye and gave a sort of snore. She was dirty and she was thinner and she was dog-tired.

She slept all day with me watching her, afraid that she was not right.

But after that, Queen was as if she had never been lost.

"I wonder," I said to myself, "what God will do with all that I promised."

But I didn't care. Queen had come back.

Latha na Faing - notaichean

2. Feannagan: seann shiostam àiteachais san robh an talamh air a thiùrradh ann an iomairean, le claisean eatorra.

7. Faic Nota-deiridh iii

9. Pocannan mòra san robh 'bolla' (140 punnd) min air a bhith.

The Day of the Fank - footnotes

1. *Lit: 'heroes', often used as a general term for men in storytelling.*
3. *lazybeds: an old system of cultivation where the land is formed into ridges and furrows*
4. *Lit: 'two beasts of bags'*
5. *Lit: 'before we looked at ourselves'*
6. *Sandwiches*
8. *See Endnote iv*
10. *Very large hessian sacks which had contained a 'boll' (140 lbs) of meal.*
11. *Lit: 'witchcraft'*

4 - An Dà Bhùth

"'S ann as fheàrr dhuinn a dhol sìos gu bùth a' chladaich," thuirt Antaidh Chris. Bha aice ri teatha fhaighinn agus bha sinn shìos anns a' bhàthach. Ghabh sinn a-mach tron a' gheat a bha eadar sinne agus lot Nèill Alasdair, sìos an t-seann rathad chun a' chladaich. Bha Murchadh Sgodaidh anns an t-seada romhainn ag iarraidh tombac, "Ùnns' Black Twist," ars esan.

"Eil càil fresh a' dol an-diugh?" dh'fhaighnich Niall Alasdair de dh'Antaidh Chris agus de Mhurchadh Sgodaidh.

"Chan eil càil as ùr," thuirt iad nan dithis, an ìre mhath còmhla.

"'S tha a h-uile duine gu math?" dh'fhaighnich Niall Alasdair.

"Tha," thuirt Murchadh Sgodaidh.

"Tha sinn man as àbhaist," thuirt Antaidh Chris. "Dè man a tha sibh fhèin?"

4 - The Two Shops

"We'd better go down to the shop-by-the-shore," said Aunty Chris. She needed to get tea and we were down in the byre. We made off, through the gate between us and Niall Alasdair's croft and down the old road to the shore. Murchadh Sgodaidh was in the shed before us, getting tobacco. "An ounce of Black Twist," he said.

"Is there anything fresh going today?" Niall Alasdair asked of Aunty Chris and Murchadh Sgodaidh.

"No, nothing new," they both said, more or less together.

"And everyone is well?" asked Niall Alasdair.

"Yes," said Murchadh Sgodaidh.

"We are as usual," said Aunty Chris. "How are you yourselves?"

"Oh, tha mise glè mhath, 's tha Ceit seachad air an fhuachd a bh' aice."

"Oh, 's math sin," ars Antaidh Chris.

Chuir Murchadh Sgodaidh am Black Twist dhan a' spliuchan aige, "Mar sin leibh," ars esan 's dh'fhalbh e.

Bha e an-còmhnaidh a' còrdadh rium a dhol a bhùth Nèill Alasdair. 'S e seada mhath sionc a bh' innte air a peantadh dubh le cunntair mhòr, àrd, tomhais mòr 's tomhais beag 's bòrd air am biodh e a' gearradh hama. Ach an rud bu mhotha a bha a' còrdadh rium, 's e na fàilidhean a bh' innte – pocannan, 's sìomain 's teàrr, 's fàileadh na cigarettes, 's ceò na pìob bhon an fheadhainn a bh' air a bhith a-staigh. Ach a bharrachd air sin, fàileadh hama, 's càise, 's siùcairean.

"Seall dhomh... leth phunnd teatha," thuirt Antaidh Chris, 's chuir Niall Alasdair pacaid Sun Ray Tips, a bha e fhèin air a thomhais, air a' chunntair.

"Tha ìm agus càise dhearg agam a thàinig an-dè," thuirt Niall Alasdair.

"Oh, well," ars Antaidh Chris, "'s fheàrr dhomh punnd ìm agus leth-phunnd dhan a' chàise a thoirt leam."

Ged a bha ìm gu leòr aice ga dhèanamh, bha ìm saillt na bùth a' còrdadh riutha, agus bha a' chàise dhearg uabhasach math le briosgaidean mhòr a' Cho-op. Bha càise cheddar math, ach bha a' chàise dhearg na b' fheàrr buileach – nuair a gheibheadh duine grèim oirre.

"Bheil a' chòrr a dhìth ort?" dh'fhaighnich Niall Alasdair.

"O, I'm very well, and Ceit is over the cold she had."

"O, that's good," said Aunty Chris.

Murchadh Sgodaidh put the Black Twist in his tobacco pouch, "Farewell," he said and he left.

I always liked going to Niall Alasdair's shop. It was a sound corrugated-iron shed, painted black, with a high counter, a large set of scales and a small set of scales, and a board on which he would slice bacon. But what I liked most of all were the smells: bags, ropes and tar, and the smell of the cigarettes and pipe-smoke from the people who had been in. But more than that, the smell of bacon and cheese and sweets.

"Show me... a half-pound of tea," said Aunty Chris, and Niall Alasdair put a packet of Sun Ray Tips he himself had weighed on the counter.

"I have butter and red cheese that came yesterday," said Niall Alasdair.

"O well," said Aunty Chris, "I'd better take a pound of butter and a half pound of the cheese with me."

Although she made plenty of butter, everyone was fond of the salted shop butter, and the red cheese was very good with the Co-op's big biscuits. Cheddar cheese was good, but red cheese was even better – when you could get a hold of it.

"Is there anything else that you need?" asked Niall Alasdair.

"Cha chreid mi gu bheil," thuirt Antaidh Chris. "Sin e an-dràsta."

Thug Niall Alasdair pionsail bho chùl a chluais 's rinn e sgrìob no dhà air poca pàipeir air a' chunntair.

"Bidh sin four and eleven. Tha one and two anns an leabhar. Thug Màiread leatha rud no dhà an latha eile. Bha i dol seachad 's gun a sporan aice."

"Oh well," ars Antaidh Chris, "'s fheàrr sin a phàigheadh cuideachd."

"Well," ars esan, "bidh sin six and one," 's chunnt Antaidh Chris dà leth-chrùn, tastan agus sgillig.

Dh'fhosgail Niall Alasdair leabhar na fiachan, 's chuir e stràc tron an duilleag, 's chuir e am pionsail air ais air cùl a chluais.

"Cha chreid mi nach tèid mi suas a thadhal air Ceit," thuirt Antaidh Chris ri Niall Alasdair.

"Siuthad, bidh i toilichte d' fhaicinn," thuirt e.

Bha doras a-muigh Taigh a' Chladaich fosgailte 's chaidh sinn a-steach. Chuala Ceit sinn agus thàinig i às a' chidsin.

"Hello, hello!" ars ise. "Trobhadaibh a-steach. A bheil a h-uile duine gu math?"

"Tha. Man as àbhaist," fhreagair Antaidh Chris.

Chaidh Ceit Tochaidh chun a' mhantelpiece, 's thug i siùcar à croc grinn, 's thug i dhomh barley sugar. Bha cat Nèill Alasdair na laighe anns an t-sèithear mhòr, 's srann toileachais aige 's e na chat ann an taigh cho cofhurtail.

"I don't believe there is," said Aunty Chris. "That's it for now."

Niall Alasdair took a pencil from behind his ear and made a mark or two on a paper bag on the counter.

"That will be four and eleven. There's one and two in the book. Màiread took a couple of things with her the other day. She was passing without her purse."

"O well," said Aunty Chris, "Better pay that too."

"Well, he said, "that'll be six and one," and Aunty Chris counted two half-crowns, a shilling and a penny.

Niall Alasdair opened the book of debts and put a line through the page, and put the pencil back behind his ear.

"I think I'll go up to visit Kate," said Aunty Chris to Niall Alasdair.

"Go on. She'll be pleased to see you," he said.

The outside door of the House-by-the-Shore was open and we went in. Ceit heard us and she came from the kitchen.

"Hello, Hello!" she said. "Come on in. Is everybody well?"

"Yes. As usual," replied Aunty Chris.

Ceit Tochaidh went to the mantelpiece and took a sweet from an elegant bowl and she gave me a barley sugar. Niall Alasdair's cat lay on his big chair, purring with pleasure because he was a cat in such a comfortable house.

Shuidh Antaidh Chris agus rinn Ceit Tochaidh teatha. Fhuair mise làn na cròig de shiùcairean bho Cheit, 's chaidh mi suas dhan a' lobby mheadhanach. Bha dealbh mòr de Niall Alasdair 's Ceit crochte anns an staidhre. Bha dealbh eile ann am frèam air an sideboard – dealbh pòsaidh – 's Ailig John, mac a bhràthar, a' coimhead cho òg.

An ceann greis, thuirt Antaidh Chris, "Oh, tha mi feumach."

"Falbh suas ma-thà," thuirt Ceit. "A bheil thusa feumachdainn?" dh'fhaighnich i dhòmhsa.

"Tha," thuirt mi, 's dh'fhalbh sinn suas chun an toilet ghrinn a bh' ann an taigh Nèill.

Bha e dìreach fèar man an fheadhainn anns an sgoil, ged nach robh e cho spaideil ris an tè a bh' ann am mans' Alasdair Ailein, am minister a bh' againn an uair sin. Bhiodh sinne dol a chèilidh dhan a' mhansa. 'S ann à Liùrbost a bha bean Alasdair Ailein 's i càirdeach dha m' athair. Bha fhios 'am gu robh e a' còrdadh ri Antaidh Chris a bhith a' dol do thoilet ghrinn Nèill Alasdair, 's bha e a' còrdadh riumsa cuideachd.

* * *

Bha m' athair a' peantadh a' living-room.

"Dè as coireach nach eil toilet math againne, man a th' aca ann an taigh Nèill?" dh'fhaighnich mi dha.

"Uill," ars esan, "tha iadsan faisg air a' mhuir 's chuir e drèana sìos chun a' chladach. Ach chuir iad tanc mòr gu h-àirde airson bùrn a chur sìos tron an toilet cuideachd. Feumaidh tu bùrn ceart ann am pìoban airson toilet a dhèanamh. Tha sinne feitheamh ris an electric agus am bùrn ach cò aig a tha fios cò latha a thig sin!"

Aunty Chris sat down and Ceit Tochaidh made tea. I got a handful of sweets from Ceit and went up into the middle lobby. There was a big picture of Niall Alasdair and Ceit hanging in the stairwell. There was another framed picture on the sideboard – a wedding-photo – with Ailig John, his brother's son, looking so young.

After a while, Aunty Chris said, "O, I am needing."

"Go on up, then," said Ceit. "Are you needing?" she asked me.

"Yes," I said and we went up to the posh toilet that was in Niall's house.

It was just exactly like the ones we had at school – but it wasn't as fine as the one in Alasdair Ailean's manse, the Minister we had then. We used to go visiting to the manse. Alasdair Ailean's wife was from Liùrbost and she was related to my father. I knew that Aunty Chris liked going to Niall Alasdair's posh toilet, and I liked it as well.

* * *

My father was painting the living-room.

"Why don't we have a good toilet like they have in Niall's house?" I asked him.

"Well," he said, "they're close to the sea and they put a drain down to the shore. But they put a big tank up high to put water down through the toilet as well. You need good water in pipes to make a toilet. We are waiting for electricity and water – although who knows when that day will come!"

Bha mi air cluinntinn gu robh an electric a' tighinn, ach cha robh mi air cluinntinn mun a' bhùrn. Bha mi air mo dhòigh gum biodh toilet math againne cuideachd.

Bha e a' cur còta peant-ola sky-blue air an distemper grànda buidhe a bh' air a' V-Lining. (Cha robh dad ann ach distemper aig àm a' chogaidh, "'s chan fhiach e," chanadh daoine, "'s e cho grànda.") Bha m' athair math air peantadh. Tha e coltach gum biodh seòladairean a' dèanamh an uabhas peantadh, a' dìon na soithichean bhon a' mheirg. Ach 's ann gu math truagh a bha am peantadh a' coimhead. Thug e sùil orm, "Chan e seo ach a' chiad còta," thuirt e. "Feumaidh e dhà eile, 's bidh a' skirting 's na picture rails geal."

"Oh, bidh an t-àite fichead uair nas fheàrr," thuirt mo mhàthair 's i air a thighinn a-steach. "A bheil thu gu bhith deiseil?"

"Tha. Siud mi," thuirt m' athair, 's dh'fhalbh e a chur a' bhruis dhan an tiona turpentine.

"Trobhad thusa còmhla rinn," thuirt mo mhàthair riumsa. "Tha sinn dol sìos chun a' chladach a bhuain maorach. Tha tràigh mhòr ann. 'S dòcha gu faigh sinn mursaigean."

* * *

Nuair a bhiodh làn àrd ann agus tìde mhath as t-samhradh, dheigheadh m' athair sìos gu bonn na lot againne chun na creagan a bha air taobh thall Tòb Nèill Alasdair aig gob Buile Thom. Bheireadh e dheth aodach 's leumadh e dhan a' mhuir 's shnàmhadh e pìos mòr a-mach.

Bhiodh mo mhàthair na seasamh anns an doras a' gabhail feagal gu robh e ga chur fhèin ann an cunnart. Cha bhiodh

I had heard that the electricity was coming, but I had not heard about the water. I was pleased that we would have a good toilet too.

He was putting a coat of sky-blue oil paint on the ugly yellow distemper on the V-lining. (There was nothing available but distemper during the War – "and it's no good," people would say, "it's so ugly.") My father was good at painting. It seems that sailors did an awful lot of painting, protecting ships from rust. But the painting looked very poor. He glanced at me, "This is just the first coat," he said. "It will need another two – and the skirting and picture rails will be white."

"Oh, the place will be twenty times better," said my mother, coming in. "Are you nearly finished?"

"Yes. That's me," said my father and he went to put the brush in the tin of turpentine.

"You come with us," said my mother to me. "We are going down to the shore to collect shellfish. There is a very low tide and we might get razorfish."

* * *

When there was a high tide, and good weather in the summer, my father would go down to the bottom of our croft, to the rocks that were on the far side of Niall Alasdair's Bay, at the point of Buile Thom. He would take his clothes off and leap into the sea. And he would swim a great distance out.

My mother would be standing at the door, frightened that her husband was putting himself in danger. He did not

e ag innse dhi dè bha e dol a dhèanamh. Bhiodh a cheann dubh, dìreach mar ròn, letheach slighe null gu Cèabhagh. Chuireadh mo mhàthair a' ghlainne air 's chitheadh i gur h-e gu dearbh a bh' ann.

"Oh, Chruthaigheir, bidh e air a bhàthadh! Carson fo Shealbh a tha e ris an dol a-mach a tha sin," chanadh mo mhàthair. Ach bha fhios aice glè mhath gu robh m' athair math air snàmh.

Bhiodh balaich Liùrboist (cuid dhiubh co-dhiù) a' snàmh tarsainn Loch Liùrboist nuair a bha m' athair na bhalach. Cha robh iad coltach ri luchd-mara eile a bha cumail a-mach nach bu chòir dhaibh snàmh ionnsachadh[1]. Throdadh mo mhàthair ris nuair a thilleadh e, ach cha chreid mi nach robh i pròiseil gu robh e cho math air snàmh 's a bha e agus gur dòcha gun robh an ceann-baile na fhianais air a sin!

* * *

Chrom sinn an leathad, mo mhàthair le peile geal. Thug m' athair spaid às a' bhàthach 's chùm sinn oirnn sìos na feannagan chun a' chladach. Bha an làn tòrr na b' fhaide muigh na b' àbhaist. Ghabh sinn a-mach chun an làthach bhog, ar bòtannan a' dol fodha beagan.

"Fuirich thusa ri mo thaobh-sa," thuirt mo mhàthair rium.

Bha na mursaigean a' cur a' ghainmheach suas na chip bheag, 's iadsan a' cladhach sìos. Dh'fheumadh tu thighinn orra cho socair 's a b' urrainn dhut. Nuair a bha m' athair leis a' spaid, dh'fheumadh e cladhach cho luath 's a b' urrainn dha, 's ma bha e luath gu leòr thigeadh am mursaig a-mach am measg spaid ghainmhich 's bhiodh i againn.

tell her what he was going to do. His black head, just like a seal, would be half-way over to Cèabhagh. My mother would train the binoculars on him and she could see that it was, indeed, he.

"O, Creator! He'll be drowned. Why, under Providence, does he do that?" my mother would say. But she knew very well that my father was a good swimmer.

The Liùrbost boys (some of them, anyway) used to swim across Loch Liùrbost when my father was a boy. They were not like other sea-going people who maintained that they should not learn to swim[2]. My mother would berate him when he got back, but I think she was proud that he was such a good swimmer and that maybe the township was witness to that!

* * *

We descended the hill, my mother with a white pail. My father took a spade from the byre and we kept going down the lazybeds to the shore. The tide was much farther out than usual. We walked out to the soft sand, our wellingtons sinking a little.

"You stay by my side," my mother said to me.

The razorfish pushed the sand up in little hillocks as they burrowed downwards. You needed to come up on them as gently as possible. When my father used the spade, he needed to dig as fast as he could, and if he was fast enough, a razorfish would come out in a spadeful of sand and we would have it.

Bha mo mhàthair math air an glacadh. Dh'fhalbh i a-null pìos 's chuir i meur sìos a tholl, 's nuair a dh'fheuch am mursaig ri a shlige a dhùnadh air a meur, thog ise a làmh gu h-aithghearr 's shlaod i am mursaig a-mach.

Nuair a bha mu dhà dhusan againn thuirt mo mhàthair, "Tha cho math dhuinn feusgain a thoirt leinn, còrdaidh iad ri Granaidh agus ri Antaidh Cairistìona."

Cha robh agad ach na mursaigean a chur man a bha iad air mullach an stòbha, 's bhruicheadh iad ann an sin fhèin. Agus 's iad a bha math! 'S e mursaigean am maorach as fheàrr leamsa air na bhlais mi riamh.

Bha am peile an ìre mhath làn, 's bha an tìde mhara a' tionndadh.

"Thugainn," ars mo mhàthair, "feumaidh sinn a dhol gu bùth Nèill a dh'iarraidh cigarettes dhut. Chan eil an còrr air fhàgail anns an drathair."

'S ann rithese a bha e an urra pacaidean a chumail anns an drathair, oir chan e a' phacaid a bh' aige na phòcaid a bha a' cunntadh ach an tè a dheigheadh na h-àite.

Aon oidhche Shathairn, dhìochuimhnich i cigarettes fhaighinn agus 's e droch Latha Sàbaid[3] a bh' ann. Rinn e rolaichean de na h-ends a lorg e a's na h-ashtrays 's thòisich e an uair sin air a' chalcas[5], 's gu cinnteach cha do chòrd sin ris. 'S ann ri linn sin a thuig mo mhàthair cho feumach 's a tha fireannaich air cigarettes.

* * *

My mother was good at catching them. She went a short distance off, put her finger down a hole and when the razorfish tried to close its shells on her finger, she raised her hand quickly and drew the razorfish out.

When we had about two dozen, my mother said, "We may as well take some mussels with us. Granny and Aunty Cairistìona will like them."

All you needed to do to the razorfish was place them, as they were, on the stove-top and they would cook there. And they were good! Razorfish is the shellfish I like best of all I have ever tasted.

The pail was more or less full and the tide was turning.

"Come on," said my mother. "We need to go to Niall's shop to fetch cigarettes for you. There are no more left in the drawer."

She was responsible for keeping packets in the drawer for it was not the packet he had in his pocket that counted, but the one that would replace it.

One Saturday evening she had forgotten to get cigarettes, and it had been a bad Sunday[4]*. He made roll-ups from the ends he had found in the ashtrays, and then he started on the peat "tobacco"*[6] *– and he certainly didn't like it! It was as a result of that, that my mother found out how much men needed cigarettes.*

* * *

Rinn sinn a-null air cidhe Nèill agus suas chun a' bhùth. Bha e fhèin a-staigh 's thug mo phàrantan leth-dusan mhursaigean dha, 's ghabh iad naidheachdan a chèile, 's cheannaich iad cigarettes 's rud no dhà eile, 's dh'fhalbh sinn suas dhachaigh cho toilichte ri iasgairean sam bith eile 's suipear mhath nar cois.

Anns na làithean sin bha daoine a' tighinn 's a' falbh à bùth Nèill fad an latha, 's daoine suas agus sìos bho na h-eathraichean anns an tòb. Ach, bha cùisean dol a dh'atharrachadh man a h-uile dad eile a bha a-riamh anns an t-saoghal.

Bha dà cheannaiche ann an Circeabost: bha Niall Alasdair, bràthair athar Ailig John, shìos aig an tòb far na dh'fhàg sinn e, agus Dòmhnall Calum aig Crois a' Rothaid.

Bha Niall na bu sheann fhasanta. Bha esan a' cumail ri tombaca Black Twist 's cigarettes Capstan 's teatha Sun Ray Tips, 's bha e a' tarraing air muir air Breascleit. Bha cas cham air ri linn polio a bh' air na bhalach ach cha do chuir sin mòran maill air. Bha e air a bhith an sàs ann am bàtaichean iasgaich, 's a bhràthair Tormod, athair Ailig John, aige na sgiobair. Bha coilear agus taidh air an-còmhnaidh, seacaid 's bonaid chlò man duine mòr.

Bha Niall Alasdair air a' housekeeper aige a phòsadh, Ceit Mary Tochaidh, 's bha iad gu math cofhurtail ann an Taigh a' Chladaich, agus bùth a' chladaich a' cumail Nèill a' dol. Chan e gun cuireadh rud sam bith spàirn air Niall Alasdair. Dheigheadh e sìos dhan a' bhùth na àm fhèin, 's ghabhadh e do naidheachd na àm fhèin, 's bheireadh e dhut an naidheachd a bh' aigesan na àm fhèin cuideachd.

We made our way over to Niall's quay and up to the shop. He was there himself, and my parents gave him half-a-dozen razorfish, and they exchanged each other's news, and bought cigarettes and another thing or two, and we went off up home, as happy as any fishers bringing with us[7] *a good supper.*

In those days, people were coming and going from Niall's shop all day long, since they were up and down from the boats in the bay. But things were going to alter, like everything else that was ever in the world.

There were two shopkeepers in Circeabost. There was Niall Alasdair, Ailig John's uncle, down at the bay where we left him, and Dòmhnall Calum at the Crossroads.

Neil was more old-fashioned. He stayed with Black Twist tobacco, Capstan cigarettes and Sun Ray Tips tea. He transported his supplies by sea from Breascleit. He had a crooked leg, due to polio he had had as a boy, but that had not held him back much. He had been involved in fishing boats, with his brother Tormod, Ailig John's father, as skipper. He always wore a collar and tie, with a jacket and tweed bonnet, like a gentleman.

Niall Alasdair had married his Housekeeper, Ceit Mary Tochaidh, and they were very comfortable in House-by-the-Shore, with the shop-by-the-shore keeping Neil busy. Not that anything would stress Niall Alasdair. He would come down to the shop in his own time, and he would take your news in his own time, and he would give you his news in his own time as well.

'S e a' chiad duine ann am Beàrnaraigh aig an robh wireless aig àm a' chogaidh. 'S e brùid de accumulator mòr a dh'fheumadh a dhol a Steòrnabhagh airson charge a chur innte a bha ruith a' wireless. Bha electric an uair sin bliadhnaichean mòr air falbh. Bhiodh na fireannaich – an fheadhainn aca a bh' air am fàgail aig an taigh – a' dol a Thaigh a' Chladaich a chluinntinn an news, 's bhiodh Niall Alasdair ann an sin man professor anns an t-sèithear mhòr 's a chat na uchd.

'S e duine greimeant a bh' ann an Niall Alasdair, 's bhiodh iad a' leantainn cùrs a' chogaidh – cho fad' 's bha am BBC ga thoirt seachad co-dhiù – 's bhiodh iad ag èisteachd ri Lord Haw Haw a' cur a-mach propaganda nan Gearmailteach. 'S iomadh mìneachadh a rinn iad air dè bha dol a thachairt.

Bha bùth Dhòmhnaill Chaluim shuas chun iar air bùth Nèill Alasdair, mu chairteal a' mhìle bhon a' chladach, an ìre mhath ann an sealladh a chèile. 'S e seada Thormoid Dhoil a bh' oirre nuair a thog Tormod Dhoil a' bhùth bheag aige. Bha i ann an àite math aig Crois a' Rothaid far an robh rathad a' tighinn a-steach a mheadhan Chirceaboist agus rothaidean eile a' ruith gu tuath 's gu deas.

Thill a dhithis mhic, Dòmhnall Calum agus Fionnlagh, às a' chogadh 's bha iad nan cuideachadh mòr dha gun a bhàsaich e. 'S e Dòmhnall Calum bu mhotha a bha a' cuideachadh athair anns a' bhùth 's nuair a bhàsaich e 's e Dòmhnall Calum a chùm a' dol i.

Ach, bha Fionnlagh air tilleadh às a' chogadh le trèanaigeadh a bha gu math feumail. Bha e air a bhith na dhràibhear agus ma bha thu na do dhràibhear airm dh'fheumadh tu bhith na do mheacanaig cuideachd, a' cumail an làraidh a bh' agad a' dol.

He was the first one in Bernera to have a wireless during the war. The wireless ran on a huge brute of an 'accumulator' that had to be sent to Stornoway to be charged. Electricity was still long years away at that time. The men – those that remained at home – used to go to House-by-the-Shore to hear the news. And Niall Alasdair would be there like a professor, in his big chair, with his cat in his lap.

Niall Alasdair was an intelligent man and they used to follow the course of the war – inasmuch as the BBC gave it away, anyway – and they would listen to Lord Haw-Haw giving out German propaganda. Many an analysis they made of what was going to happen.

Dòmhnall Calum's shop was up to the west of Niall Alasdair's shop, about a quarter-of-a-mile from the shore, each more or less within sight of the other. It had been known as Tormod Doil's shed, when Tormod Doil had built his small shop. It was in a good place, at the Crossroads, where the road came into the middle of Circeabost, with other roads running to north and south.

Tormod Doil's two sons, Dòmhnall Calum and Fionnlagh, came home from the war and they were a great help to him until he died. It was Dòmhnall Calum that helped his father most in the shop, and when he died, it was Dòmhnall Calum that kept it going.

But Fionnlagh had returned from the war with training that was very useful. He had been a driver, and if you were an army driver, you had to be a mechanic as well, in order to keep your lorry going.

Tharraing Fionnlagh seann làraidh, 's seann ambulance airm, a Bheàrnaraigh mus robh an drochaid air a togail. Bha sin gu math feumail. Bhiodh Fionnlagh a' dèanamh a dhìcheall ach cha robh na rothaidean mòran na b' fheàrr na bhith a' falbh anns a' chladach, 's bhiodh e dol a dh'àitichean nach bu chòir dha, 's dh'fheumaiste an uair sin leth latha a thoirt a' cur clachan 's plancaichean 's rudan dhen t-seòrsa sin fo na cuibhlichean airson a faighinn às.

Co-dhiù nuair a thàinig an drochaid, 's an uair sin, 'balaich a' Chountaidh[8]' a chàradh na rothaidean, thàinig latha Fhionnlaigh. Thòisich e fhèin 's Dòmhnall Calum a' tarraing stuthan a Chirceabost. Agus dh'fheumadh Dòmhnall Calum na fasanan ùr a leantainn. Bha bhan a' Cho-op, le Iain Mòr a' Cho-op air a ceann, a' ruith nam bailtean agus bhan Lipton. Agus bha iad sin gu math modern.

Bhiodh Antaidh Chris a' ceannach rudan ùr, 's bha an larder làn chanastairean. 'S na cèicichean! Snowballs, 's Bakewell tarts, 's custard slices, 's paradise cakes. "A h-uile seòrsa sgudail à Shield Hall," chanadh mo mhàthair. Bha ise eòlach air a' factaraidh mhòr bhèicearachd aig a' Cho-op ann an Glaschu. Ach, cha b' e nach itheadh i cèic no dhà.

Bha cùisean a' dol cho math do Dhòmhnall Calum mu dheireadh, 's gun thog e bùth ùr, agus 's e Bùth Dhòmhnaill Chaluim a bha sin gu cinnteach. 'S lean daoine a' ceannach 's a' coinneachadh 's a' còmhradh, 's a' cur dhiubh.

Bha rud eile ann cuideachd a bha a' tarraing dhaoine gu Crois a' Rothaid. 'S ann aig ceann taigh Thormoid Dhoil, an ath-dhoras dhan a' bhùth, a bha telephone box a' bhaile. Agus

Fionnlagh ferried an old lorry and an old army ambulance to Bernera before the bridge was built. That was very useful. Fionnlagh did his utmost but the roads were not much better than driving on the seashore and he went to places he shouldn't, and then half a day would be needed putting stones and planks and suchlike under the wheels to get the lorry out.

Anyway, once the bridge was built and then the 'County boys[9]' came to fix the roads, Fionnlagh's day dawned. He and Dòmhnall Calum began hauling goods to Circeabost. And Dòmhnall Calum needed to follow the new fashions. The Co-op van, with Iain Mòr of the Co-op in charge, was running through the villages – and Lipton's van. And they were very modern.

Aunty Chris would buy new goods and the larder was full of tins. And the cakes! Snowballs, and Bakewell tarts, and custard slices and paradise cakes. "Every kind of rubbish from Sheildhall," my mother would say. She was familiar with the big Co-op bakery factory in Glasgow. Not that she wouldn't eat a cake or two!

Things were going so well for Dòmhnall Calum, at last, that he built a new shop – and that was 'Dòmhnall Calum's Shop' for certain. And people continued buying and meeting and talking and laying forth.

There was another thing that drew people to the Crossroads. At the end of Tormod Doil's house, next-door

’s ann ann a sin a bhiodh sinn a’ dol a bhruidhinn ri Antaidh Ann, ’s i na manageress anns na barracks mhòr ann an Dùn Èideann. Dheigheadh mi fhìn ’s mo mhàthair suas aig an àm a bha iad air a chur air dòigh ann an litir, gu math tric aig naoi uairean feasgar. Ma bha mo mhàthair a’ cur call thuicese, dh’fhuiricheadh sinn chun an àm, thogadh mo mhàthair an receiver, ’s chuireadh i car dhan an handle airson bruidhinn ris an Operator.

“Miss Ann Macdonald, Queensferry 446,” chanadh mo mhàthair. ’S aon uair ’s gu robh an Operator air bruidhinn ri Antaidh Ann, chanadh i,

“Insert three pennies and press Button A caller,” ’s dheigheadh na sgillingean sìos dhan a’ bhucas.

Uaireannan eile, nuair a bhiodh Antaidh Ann a’ cur call thugainne, bhiodh sinne a’ feitheamh ’s a’ feitheamh ’s ise fadalach.

“Oh, tha i cho busy,” chanadh mo mhàthair ’s i a’ dèanamh leisgeul dhi. Co-dhiù ann an ceann greis dh’fhalbhadh a’ fòn.

Anns na làithean ud, cha b’ ann airson gossip a bha a’ fòn. Chanadh Antaidh Ann na bh’ aice ri ràdh ’s an uair sin, dh’innseadh mo mhàthair man a bha a h-uile duine, ’s rud sam bith ùr a bha a’ dol. Uaireannan, chanainn-sa, “Hello,” ’s chanadh Antaidh Ann, “Hello Iain Beag, feuch nach bi thu crost ’s gum bi thu a’ dèanamh a h-uile dad a tha do phàrantan ag iarraidh ort.”

’S cha bhiodh ann an uair sin ach teans ghoirid airson mo mhàthair, “Cheerio, Cheerio an-dràsta,” a chantainn ’s dh’fhalbhadh sinn dhachaigh a dh’innse na thuirt Antaidh Ann.

* * *

to the shop, stood the village telephone box. And that is where we used to go to speak to Aunty Ann, who was a manageress in the big barracks in Edinburgh. My mother and I would go up at a time that had been arranged in a letter, very often at nine in the evening. If my mother was calling her, we would wait until the time, my mother would lift the receiver and she would turn the handle to speak to the Operator.

"Miss Ann Macdonald, Queensferry 446," she would say, and once the Operator had spoken to Ann, she would say,

"Insert three pennies and press Button A, caller," and the pennies would go down into the box.

Other times, when Aunty Ann was going to call us, we would be waiting and waiting, with Aunty Ann late.

"Oh, she's so busy," my mother would say, making an excuse for her. Anyway, after a while, the phone would ring.

In those days, the phone was not for gossip. Aunty Ann would say whatever she had to say and then my mother would tell how people were and any news that was circulating. Sometimes I would say, "Hello," and Aunty Ann would say, "Hello, Iain Beag. Make sure you aren't naughty and that you do all that your parents ask of you."

And then there would only be a short chance for my mother to say, "Cheerio. Cheerio, just now," And off we would go home to relate all that Aunty Ann had to say.

* * *

"Oh, tha Dòmhnall Calum man a tha e," chanadh mo mhàthair. "Gearraidh e hama cho tiugh ri d' òrdag bheag nuair a tha e ann an droch thrioma, 's cho tana ri d' ìne nuair a tha e air a dhòigh." 'S bha na bhanaichean a' dèanamh a' chùis air leis a' hama. Bha slicer[10] acasan, 's ann thucasan a bha daoine a' tòiseachadh a' dol airson hama agus cold ham.

Air an latha a bha seo, bha Dòmhnall Calum air a dhòigh. Bha mi fhìn 's Antaidh Chris air a dhol a dh'iarraidh parafin. Bha feadhainn a-mach 's a-steach 's sheas sinn ag èisteachd ri na bha dol. Nuair a thàinig e thugainne, ghabh e an cana bho Antaidh Chris, 's dh'fhalbh sinn a-mach còmhla ris, gu tanc a' pharafin 's i man tocasaid mhòr iarrainn air a cliathaich os cionn an uillt. Lìon e an cana aig an tap 's thug e sùil sìos taobh Taigh a' Chladaich. Bha Ceit Mary Tochaidh, bean Nèill Alasdair, a' dèanamh a slighe shona fhèin suas far an robh sinn.

"Falbh sìos an coinneamh Ceit Tochaidh," ars Dòmhnall Calum. "Inns dhi gu bheil siùcairean powerful agam an-diugh." Bha fhios aige glè mhath am miann a bh' aig Ceit air siùcar sam bith. Bhiodh Niall Alasdair a' cumail mint imperials, iad gun phàipear – uabhasach handy airson an eaglais – agus barley sugars 's feadhainn dhen t-seòrsa sin, ach dh'fheuchadh Ceit fear ùr latha sam bith.

"Can rithe gur e 'Sweet FAs' an t-ainm a th' orra," thuirt Dòmhnall Calum,

Thàinig Ceit a-steach 's thàinig Dòmhnall Calum thuice an ceann greis.

"Seadh," ars esan.

"O, Dòmhnall Calum is as he is," my mother would say. "He'll cut the bacon as thick as your little finger when he's in a bad mood, and as thin as your nail when he's in good spirits." And the vans were beating him when it came to bacon – they had slicers[11] – and people were beginning to go to them for bacon and cold ham.

On this particular day Dòmhnall Calum was in good spirits. Aunty Chris and I had gone to get paraffin. People were coming and going and we stood listening to all that was going on. When he came to serve us, he took the can from Aunty Chris and we went out with him to the paraffin tank, which was like a big iron barrel lying on its side over the stream. He filled the can at the tap and he looked down toward House-by-the-Shore. Ceit Mary Tochaidh, Niall Alasdair's wife, was making her own untroubled way up towards us.

"Go down and meet Ceit Tochaidh," said Dòmhnall Calum. "Tell her that I have some powerful sweets today." He knew very well the fondness that Ceit had for any sweet. Niall Alasdair stocked mint imperials without paper – very handy for church – and barley sugars, and ones like that, but Ceit would try a new variety any day.

"Tell her they're called 'Sweet FAs'," said Dòmhnall Calum.

Ceit came in and Dòmhnall Calum came to her after a while,

"Yes?" he said.

Cha robh Ceit airson dìochuimhn' a dhèanamh air na siùcairean, "Bheir dhomh," ars ise, "cairteal dhe na siùcairean ùr agad."

"Dè an fheadhainn? Tha dhà na thrì ùr agam."

"Tha na Sweet FAs," ars ise.

Thàinig gàire air aghaidh Dhòmhnaill Chaluim, chrath Ailig John a cheann 's dhùin e shùilean 's rinn Antaidh Chris gàire ged nach robh i dìreach cinnteach carson.

Chuairtich seanchas mì-mhodh Dhòmhnaill Chaluim an ceann-baile, cuid diombach gun ghabh e brath air Ceit bhochd, ach 's e gàire a rinn a' chuid bu mhotha.

"Oh hard case," thuirt mo mhàthair nuair a chuala i an seanchas aig Ailig John. 'S cha tuirt duine càil riumsa man a' phàirt a bh' agamsa ann am mì-mhodh Dhòmhnaill Chaluim.

Ceit wanted to be sure not to forget the sweets, "Give me," she said, "a quarter of the new sweets you have."

"Which ones? I have two or three new ones."

"The Sweet FAs," she said.

A smile spread across Dòmhnall Calum's face, Ailig John shook his head and closed his eyes, and Aunty Chris laughed, although she wasn't exactly sure why.

The tale of Dòmhnall Calum's mischief circulated the township, some disapproved that he had taken advantage of poor Ceit, but most laughed.

"O, hard case," said my mother, when she heard the story from Ailig John. And no one said anything to me about the part I had in Dòmhnall Calum's mischief.

An Dà Bhùth - notaichean

1. Bha mòran Eileanaich dhen bheachd nach bu chòir snàmh ionnsachadh airson gu robh iad a' creidsinn nan robh e an dàn dhut bàthadh gur e sin a thachradh, agus nach biodh snàmh ach a' cur dàil anns na bha a' tighinn ort co-dhiù.

3. A' leantainn teagasg nan eaglaisean Clèireach, cha bhiodh bùithtean fosgailte air Latha na Sàbaid ann an Leòdhas aig an àm. Gu dearbh, tha a' mhòr-chuid de ghnìomhachasan fhathast a' cumail dùinte air an t-Sàbaid.

5. Tha cuid de mhòine freumhagach agus a' tuiteam às a chèile. Bhiodh daoine òga (agus inbhich ma bha iad ann an dìth) ga cleachdadh mar tombaca.

8. Comhairle Siorrachd Rois is Chrombaigh

10. Inneal meacainigeach lem biodh a' gearradh shliseagan hama.

2. *Many Islanders subscribed to the idea that being able to swim would only delay the inevitable. One should surrender to one's fate.*

4. *Due to Presbyterian Sabbath observance, all businesses were, until very recently, closed in Lewis on Sunday, and even in the present day most shops are shut on that day.*

6. *Dried peat ranges in consistency from a highly compressed, black, coal-like substance to a much less compressed, mossy substance which, when teased apart, resembles tobacco. Many youths practiced their cigarette smoking habit on this - as did some adults in conditions of scarcity of tobacco (or lack of money).*

7. *Lit: 'in our step'*

9. *Ross and Cromarty County Council*

11. *Mechanical slicing machines.*

5 - A' dol dhan an Sgoil

"Woof!" arsa Queen 's i na laighe air a cuid pocannan aig an doras cùil. Bha i na leth-cadal 's cha do chuir an rud a dh'fhidir i mòran dragh oirre. Bha e beagan às dèidh tràth-diathad. Bha mo mhàthair a' càradh stocainnean, 's Antaidh Chris a' fighe, mo sheanmhair anns an rùm a-staigh 's m' athair còmhla rithe anns an t-sèithear mhòr a' leughadh pàipearan Dhisathairne bha air ar ruighinn Dimàirt.

Chuala sinn ceum air a' staran 's chuala sinn guth Dhanny Chameron.

"Hello," arsa esan, "parcel for you C.O.D," 's thàinig e a-steach 's chuir e am parsail air a' bhòrd. "Five and ten pence ha'penny."

"Anything fresh?" dh'fhaighnich mo mhàthair.

"Oh, just that he is still hanging on in bye."

"Oh, the soul," thuirt mo mhàthair.

"It won't be long now," thuirt Danny Cameron.

5 - Going to School

"Woof!" said Queen. She was lying on her bags behind the back door. She was half-asleep and what she sensed did not disturb her greatly. It was a little after dinner time. My mother was darning socks and Aunty Chris was knitting, my grandmother in the inner room, my father with her, in the big chair, reading the Saturday papers that had got to us on Tuesday.

We heard a footfall on the path and we heard Danny Cameron's voice. "Hello!" he said. "Parcel for you. C.O.D." and he came in and put the parcel on the table. "Five and ten pence ha'penny."

"Anything fresh?" asked my mother.

"O just that he's still hanging on, in bye."

"Oh, the soul!" said my mother.

"It won't be long now," said Danny Cameron.

Bha mi fhìn an amharas gu robh muinntir Bheàrnaraigh air fad dol a bhàsachadh 's nach biodh air fhàgail ach an teaghlach againn fhìn.

'S ann bho tìr-mòr Alba a bha Danny Cameron 's gun Ghàidhlig aige. Bha e a' fuireach ann an Taigh a' Phuist ann am Brèacleit. Mana b' e post a bh' air a bhith ann, bhiodh e air fear-naidheachd math a dhèanamh. Bha e math air naidheachdan a sgaoileadh. Chaidh mo mhàthair chun an dreasair 's thug i sporan dubh às 's chunnt i an t-airgead air làmh Danny Chameron.

"Will you take a cup?" dh'fhaighnich i.

Oh, I'm full of tea," ars esan agus rinn e gàire 's dh'fhalbh e.

"Well, 's e JD," arsa mo mhàthair. "Cha robh dùil agamsa gun tigeadh seo chun an t-seachdain sa tighinn. Tha Oxendales math air seacaidean beag 's Gamages air stuthan taighe ach chan eil duine cho math air brogan ri JD."

Stiall i am pàipear bhon a' pharsail 's thug i dhòmhsa am bucas. Thug mi am mullach dheth 's ann an sin bha dà Lorne ghleansach, dhubh. Bha iad cho grinn ri dà ornament a chuireadh tu air a' mhantelpiece ach bha làn fhios agamsa carson a bha na Lornes. Bha mise a' dol dhan sgoil.

Thug m' athair an ceap iarainn às an larder. Bha uinneag bheag gun ghlainne anns an larder airson gum biodh bainne 's ìm, 's gruth, 's bàrr, 's iasg, 's a h-uile sgudal (chanadh mo mhàthair) bha Antaidh Chris a' slaodadh bho na bhanaichean, air an cumail fuar a gheamhradh 's a shamhradh. Cha b' e gun iarradh an ceap iarrainn a bhith air a chumail fuar ach bha e ri làimh nuair a bha feum air, 's bha sin tric. Dh'fheumadh a

I suspected that the whole population of Bernera was going to die, and that only our family would be left.

Danny Cameron was from the mainland of Scotland and he did not have Gaelic. He lived in the Post's House in Brèacleit. If he had not been a postman, he would have made a good reporter: he was very good at circulating news.

My mother went to the dresser and took the black purse from it and counted the money into Danny Cameron's hand.

"Will you take a cup?" she asked.

"Oh, I'm full of tea!" he said and he gave a laugh and left.

"Well, it's JD," said my mother. "I didn't expect this to come until next week. Oxendales is good for corsets and Gamages for household goods, but no one is as good at shoes as JD."

She tore the paper from the parcel and gave me the box. I opened the top, and there were two glistening black Lornes. They were as fine as two ornaments you would put on the mantelpiece. I knew full well what the Lornes were for. I was going to school

My father got the last from the larder. The larder had a small unglazed window so that milk, and butter, and crowdie, and cream, and fish, and all the rubbish (as my mother would say) that Aunty Chris dragged from the vans, could be kept cold, winter and summer. It was not that the last needed to be kept cold, but it was close at hand when it

h-uile croitear a bhith na ghreusaich ma bha daoine gu bhith a' dol dhan eaglais le brògan ceart.

Agus chan e sin uireas a bha a dhìth airson a dhol dhan eaglais. (Bha mi fhìn a' smaoineachadh gu robh Dia uabhasach gu fasan.)

"Feumaidh tu seacaid bheag cheart," chanadh mo mhàthair, "agus costume le twin set, agus duster coat. Ach, 's e an ad. 'S e an ad a tha a' cunntadh. Na tha siud de bhoireannaich le adan spaideil. Càite a bheil iad gam faighinn? Mise leis an t-seann rud a tha seo!"

(Bha mise air còrr math air fichead ad a chunntadh anns a' wardrobe shuas an staidhre.)

Chuir m' athair tacaid bheag bhoireannaich ann an gob gach bròg agus dhà anns gach sàl.

"Sin agad a-nis," arsa mo mhàthair. "Bidh 'fric-frac' agad air an rathad dìreach man Dòmhnall Calum fhèin."

Chuir mi orm na brògan còmhla ri na stocainnean glas 's a' bhriogais ghoirid flannel a bha gu bhith orm anns an sgoil. Cha mhòr gum b' urrainn dhomh mo shùilean a thoirt dhiubh. Chaidh mi suas 's sìos an staran 's mi cheart cho pròiseil ri ministear le coilear.

"Well, well," arsa mo mhàthair, "abair brògan! Choisich mise a h-uile latha a thug mi anns an sgoil, trì mìle às a seo a Sgoil Brèacleit agus trì mìle air ais, cas-rùisgte as t-samhradh agus le brògan Ciorstaidh Mary anns a' gheamhradh. Dh'fheumadh Iain a bhrògan fhèin ach bha brògan Anna a' dol gu Ciorstaidh Mary agus na brògan aicese a' tighinn thugamsa. Sin man a bha. A' coiseachd 's a' coiseachd."

* * *

was needed, and that was often. Every crofter had to be a cobbler, if people were to go to church in decent shoes.

And that was not all that was needed to go to church. (I had come to think, myself, that God was terribly interested in fashion.)

"You need a proper corset," my mother would say, "and a costume with a twin-set and a duster-coat. But it's the hat! It's the hat that counts! So many women with posh hats! Where do they get them? Me with this old thing!"

(I had counted well over twenty hats in the wardrobe upstairs.)

My father put a woman's small tack in the point of each shoe and two others in each heel.

"There you are now," said my mother. "You will make a 'fric-frac' on the road, just like Dòmhnall Calum himself!"

I put on the shoes, along with the grey socks and the short flannel trousers that I was going to wear to school. I could hardly take my eyes off them. I went up and down the walkway, just as proud as a minister with his collar.

"Well, well," said my mother, "some shoes! I walked to school every day I was in school, three miles from here to Brèacleit school and three miles back, barefoot in summer and with Ciorstaidh Mary's shoes in the winter. Iain had to have his own shoes, but Ann's shoes went to Ciorstaidh Mary and her shoes would come to me. That's how it was. Walking and walking."

* * *

"Thugainn, thugainn, thugainn!" arsa mo mhàthair, 's i a' cur panaichean dhan a' chupbard fon an t-sinc. Cha mhòr nach robh i a' dannsa. Bha i an còmhnaidh na ruith.

"Bidh sinn air ar nàrachadh ma dh'fhalbhas bhan Chalum Fhionnlaigh às ar h-aonais," thuirt i.

Choisich sinn còrr math air leth-mhìle a nall gu Crois a' Rothaid 's a-mach gu mullach Leathad a' Chlàraich. Sheas sinn ann an sin ann an dealt na madainn. Nochd bhan Chalum Fhionnlaigh mu shàil Bheilibhir 's dhìrich i an Clàrach le srann mhath. 'S e Bedford Dormobile a bha ann a' bhan Chalum Fhionnlaigh 's i cho ùr 's gu robh fàileadh an ùrachd dhith.

Thionndaidh Calum Fhionnlaigh a' bhan anns a' phassing place a bha air taobh a-muigh a' gheata aig a' ghriod[1] aig mullach a' Chlàraich. Dh'fhosgail mo mhàthair a' sliding door 's shuidh sinn a-steach. Thog Calum Fhionnlaigh a làmh cheart ri mo mhàthair. Bha miotagan leathar air 's fag eadar a mheuran.

"Nach tu tha lucky?" chanadh mo mhàthair nuair a thigeadh i na mo choinneamh feasgar aig mullach a' Chlàraich. "Tha a' bhan ud fada nas cofhurtail na bhan Fhionnlaigh Latha na Sàbaid, 's tusa man lord nad aonar mach 's a-steach."

Ach cha robh cùisean cho lucky 's a lùiginn. Dh'fheumadh sinn coiseachd bhon taigh, uisge ann no às, mi fhìn, 's mo mhàthair, no Antaidh Chris, no m' athair, a-mach gu mullach a' Chlàraich anns a' mhadainn agus air ais feasgar.

Cha robh againn ach seann umbrella 's i gun fheum ma bha gèile ann. Feumaidh nach fhuilingeadh Dingwall[3] a' bhan a' dhol ceum na b' fhaisge. "Nan tigeadh e fiù 's gu Crois

"Come on! Come on! Come on!" said my mother, putting pans in the cupboard under the sink. She was almost dancing. She was always at a run.

"We'll be shamed if Calum Fhionnlaigh's van goes without us," she said.

We walked much more than a half-mile over to the Crossroads and out to the top of the hill called the Clàrach. We stood there in the morning dew.

Calum Fhionnlaigh's van appeared around the heel of Bheilibhir and it ascended the Clàrach with a good snore. Calum Fhionnlaigh's van was a Bedford Dormobile, so new that it smelt of newness.

Calum Fhionnlaigh turned the van in the passing-place that was outside the grid[2] gate at the top of the Clàrach. My mother opened the sliding door and we sat in. Calum Fhionnlaigh lifted his right hand to my mother. He was wearing leather gloves with a cigarette between his fingers.

"Aren't you lucky!" my mother would say when she met me in the afternoon at the top of the Clàrach. "That van is much more comfortable than Fionnlagh's van on Sunday. And you like a Lord on your own going out and coming in."

But things weren't as lucky as I would have wished. We had to walk from the house, rain or no rain, me and my mother, or Aunty Chris, or my father, out to the top of the Clàrach, in the morning and back in the afternoon.

We only had an old umbrella – and that was useless in a gale. It must have been that Dingwall[4] could not bear to

a' Rothaid, bhiodh fasgadh ann," thuirt mo mhàthair uair is uair. Ach cha tuirt i facal a-riamh gu Calum Fhionnlaigh. Cha ghabhadh i sin oirre.

Stad a' bhan aig geata na sgoile 's thug mo mhàthair a-steach mi dhan an aon rùm-sgoile dhan deach i fhèin a thoirt còrr air fichead bliadhna ron a sin agus chun an aon thidsear, Peigi Matheson. Bha an aon mhaighstir-sgoile os cionn a' chùis cuideachd, Caley Murray.

Bha mise a' leigeil dha mo mhàthair taic a thoirt dhomh 's i ga mo stiùireadh a-steach. Bha a' chlann às na bailtean eile nan suidhe aig na desks. 'S e mise an truaghan mu dheireadh a bha Calum Fhionnlaigh a' togail.

"Well, well," arsa an tidsear, "cò th' againn a seo?"

"My name is Donald Iain MacLeod," thuirt mise.

Bha mo mhàthair air innse dhomh nach e Iain a bh' orm ged is e sin a bh' aca orm aig an taigh. Seo m' ainm ceart Beurla.

Rinn an tidsear gàire. Bha aon fhear co-dhiù anns a' chlas le Beurla.

"Bheil Gàidhlig aige?" dh'fhaighnich an tidsear dha mo mhàthair.

"Tha làn mo chlaiginn," arsa mise rithe.

('S e siud a thuirt m' athair ri fear a chuir an dearbh cheist airsan. Bha sinn a' dol a-mach a Bhrèacleit air baidhseagal, mise air a' chrossbar, ach an cuireadh am ministear, Alasdair Ailein, ainm ri pàipear an 'dole[5]'. Choinnich sinn am fear sin air chois 's chòrd freagairt m' athar rium.)

let the van go a step closer. "If only he would come in even to the Crossroads there would be shelter," said my mother time after time. But she never said a word to Calum Fhionnlaigh. She wouldn't dare.

The van stopped at the school gate and my mother took me into the same school room she had been taken to herself over twenty years before that day, and to the same teacher, Peigi Matheson. The same headmaster was still in charge, too, Caley Murray.

I was letting my mother support me while she steered me in. The children from the other villages were seated at their desks. I was the last wretch that Calum Fhionnlaigh collected.

"Well, well," said the teacher. "Who have we here?"

"My name is Donald Iain MacLeod," I said.

My mother had told me that my name was not 'Iain', although that was what I was called at home. This was my proper English name.

The teacher laughed. There was one boy at least in the class that had English.

"Does he have Gaelic?" the teacher asked my mother.

"Yes," I replied. "My skull-full,"

(That was what my father had said to a man that had put the same question to him. We were going out to Bhrèacleit on a bicycle, I on the crossbar, in order for the minister, Alasdair Ailean, to sign my father's dole[6] paper. We met this man on foot and I liked my father's answer.)

"Well, a Mhàiread," arsa an tidsear, "nach ann agad a tha am balach!"

Cha chreid mi gun cuala mi facal Gàidhlig anns an rùm ud tuilleadh.

* * *

Chaidh mise dhan an sgoil an latha mus robh mi ceithir bliadhna a dh'aois, bliadhna mus bu chòir dhomh, 's thug mi fad mo làithean-sgoile a' tilleadh dhan an sgoil air an latha ro mo bhirthday, no air an latha às dèidh mo bhirthday, no na bu mhiosa buileach, air latha mo bhirthday!

Ged a tha cuimhne gheur agam air an latha ud chan eil cuimhne agam air mòran làithean eile ann an Sgoil Bheàrnaraigh. 'S dòcha nach do chòrd i rium, ged a bha e furasta dhòmhsa foghlam a thoirt leam. 'S dòcha aon uair 's gun do lorg mi m' àite gu robh a h-uile latha man a h-uile latha eile.

Tha fios agam gu robh mi ag iarraidh dhan an sgoil. Bha mi cho aonranach gun leanabh beò faisg orm. A-mach às an sgoil, thug mise mo bheatha am measg dhaoine mòra. 'S dòcha gu robh sin gam fhàgail na bu shine na bha mi ann an dòigh. 'S dòcha gum bithinn air a bhith mar sin co-dhiù, ach, bha fhios 'am, bhos cuimhne leam, gu robh fada a bharrachd tuigse agam na bha daoine mòra a' smaoineachadh. Bha fhios 'am an ìre mhath anns a' spot cò bheireadh dhomh siùcar no bonn a-sia no tastan. Ach a bharrachd air a sin bha fhios 'am cò bha gam fhaicinn mar chreutair eile – cha b' ann mar leanabh gun seadh. 'S bha fhàileadh fhèin aig a h-uile duine: tombaca, 's siabann, 's teàrr a rèir dè bha iad a' dèanamh.

"Well, Màiread," said the teacher. "Don't you have some son!"

I don't believe I heard another word of Gaelic in that room again.

* * *

I went to school on the day before my fourth birthday – a year before I should have. I spent all my schooldays returning to school on the day before my birthday, or the day after my birthday, or – worse still – on the day of my birthday!

Although I have a sharp memory of that day, I have few memories of many other days in Bernera School. Maybe I didn't like it, although I found it easy to learn. Maybe, once I had found my own place, each day was just like every other day.

I know I wanted to go to school. I was so lonely without a living child near me. Outside school, I spent my life among grown-ups. Maybe that made me older than my years, in a way. Perhaps I would have been like that anyway, but I knew from as long as I can remember that I understood much more than the grown-ups thought. I knew more or less instantly who would give me a sweet, or a sixpenny piece or a shilling. But more than that, I knew who viewed me as another person – not as a mere child. And each person had their own smell – tobacco, and soap, and tar, according to what they did.

Fàileadh a' chruidh bho Antaidh Chris, 's fàileadh an aois bho Ghranaidh. Fàileadh an tughaidh bho Thormod Tobhtarail, 's fàileadh an sgadain bho Mhurchadh Sgodaidh. Fàileadh nam boireannaich a's na leapannan 's na leidean às dèidh na h-òrdaighean. ("Oh èist!" arsa Antaidh Chris, "na bi a' cantainn a leithid a rud!")

'S e an seòrsa cluich a bh' agam a bhith a' falbh, 's a' riagail 's a' coimhead 's a' smaoineachadh, 's a' studaigeadh na leabhraichean a bha anns a' bhookcase. Uaireannan, chuirinn ceist air fear dha na daoine mòr bha fhios 'am a bheireadh dhomh freagairt cheart,

"Dè bu choireach gu robh a' ghealach cho bright a-raoir?" dh'fhaighnich mi de dh'Ailig John.

"Well," arsa esan, "cha robh sgòthan anns an iarmailt 's bha i làn."

'S dh'innis e dhomh man a bha an saoghal a' dol eadar a' ghrian agus a' ghealach agus dubhair an t-saoghail air aghaidh na gealaich. Goirid às dèidh sin lorg mi diagram ann an leabhar a bha sealltainn dìreach an rud a dh'innis Ailig John dhomh.

Ach, uaireannan bhiodh mo chuid cheistean a' dol air seacharan. Thàinig tè a chèilidh agus cha b' urrainn dhomh mo shùilean a thoirt dhith. An ceann greis thàinig a' cheist a-mach gun fhiost dhomh,

"Why," arsa mise ann am Beurla, ('s dòcha gun shaoil mi nach robh Beurla aice) "is that woman's face so ugly?"

Rug mo mhàthair orm 's chuir i chun na sitig mi.

"Na tig a-steach ann an seo gu falbh i!" mhaoidh i orm.

The smell of the cows from Aunty Chris, and the smell of old age from Granny. The smell of the thatch from Tormod Tobhtarail, and the smell of herring from Murchadh Sgodaidh. The smell of the women in the beds and the shake-downs after the Communions. ("Oh, be quiet!" said Aunty Chris. "Don't be saying such a thing!)

The kind of play I had was to walk and wander, looking and thinking, and studying the books in the bookcase. Sometimes I would put a question to a grown-up I knew would give me a proper answer,

"Why was the moon so bright last night?" I asked of Ailig John.

"Well," he said, "there were no clouds in the firmament and the moon was full."

And he told me about the Earth passing between the moon and the sun, with the Earth's shadow falling on the face of the moon. Shortly after that, I found a diagram in a book which showed exactly what Ailig John had told me.

But sometimes my questions led to trouble[7]*. A woman came to visit and I couldn't take my eyes off her. After a while the question came out unbidden, "Why?" I asked, in English (maybe I thought she didn't have English) "is that woman's face so ugly?"*

My mother grabbed me and put me outside[8]*.*

"Don't come in until she's gone!" she threatened me.

Dh'aithnich mi air mo sheanmhair nach robh i cho diombach 's a bha dùil 'am.

"Tha mi an dòchas nach do dh'fhalbh i leis an tàmailt," thuirt Granaidh. 'S feumaidh e bhith nach do dh'fhalbh – chunnaic mi i tric a-staigh às dèidh sin.

Ach, chan eil cuimhneachanan na sgoile idir cho geur 's cho pailt, ged a tha aon agam nach fhàg mi ann am bith. Chan eil fhios 'am an ann air a' chiad latha ud a bh' ann no air latha eile goirid às dèidh sin. Bha mi na mo sheasamh ri cruach mhònach air taobh a-staigh buaile na sgoile, 's bha clann na sgoile, a h-uile duine aca, saoilidh mi, air mo bheulaibh, 's iad ag èigheachd,

"Moochy Can! Moochy Can! Moochy Can!" Chan eil agam ach an dealbh. Chan eil cuimhne sam bith agam air faireachdainn no eagal no tàmailt no dad. Tha fhios 'am an-diugh gu robh iad a' cur umhail orm, 's gu robh iad gam fhaicinn mar chreutair eu-coltach riutha fhèin. Cha robh mise a-riamh air an ainm a bha iad ag èigheachd orm a chluinntinn ach tha e coltach gur e duine dubh a bh' ann a bha a' ruith air na bailtean le ceus a' creic aodach. Chan eil cuimhne agam a bharrachd dè man a thàinig a' chùis gu ceann. Tha cuimhne 'am air Peter Cameron a' cantainn, "Fàgaibh am balach sin," 's rinn e gàire rium agus phriob e a shùil. Ach saoilidh mi gur ann aig àm air choireigin eile a bha sin.

'S dòcha gu robh rudeigin dorch a' ruith anns an teaghlach againne. 'S e Dubh Cheann a chanadh iad ri mo shinn-sheanair agus An Negaro a chanadh iad ri mo sheanair. 'S bha m' athair cho dubh ris an fhitheach. 'S e 'navy-blue' a bha air a sgrìobhadh air an tiocaid-mharaiche aige airson dath fhalt. 'S dòcha gu robh mi

I saw that my grandmother was not as annoyed with me as I expected.

"I hope she didn't go away offended," said Granny – and it must have been that she didn't – I saw her come in often after that.

But my memories of school are not at all as plentiful or as sharp, although I have one that will never leave me. I don't know if it was on that first day, or another day shortly after. I was standing against a peat stack, inside the school wall and the schoolchildren, all of them it seemed to me, were in front of me, shouting,

"Moochy Can! Moochy Can! Moochy Can!" I only have the image. I have no memory of feelings, or fear, or shame, or anything. I know now that they saw me as strange and that they saw me as a creature unlike themselves. I had never heard the name they were calling me. But it seems that he was a black man that travelled the villages with a case selling clothing. Neither do I remember how the episode ended. I remember Peter Cameron saying, "Leave that boy!" and he smiled at me and winked. But I think that that was at some other time.

Maybe something dark did run in our family. My great-grandfather was known as 'Black-Head' and my grandfather was known as 'The Negro'. And my father was as black as a raven. 'Navy-blue' was the hair colour written on his sea-going ticket. I suppose I might have

gu math dubh aig deireadh a' chiad samhradh Bheàrnaraigheach agam agus a' ghrian a' sgàineadh nan creag.

Co-dhiù, cha robh lorg sam bith agamsa air Moochy Khan mas e sin an t-ainm a bh' air. Ach, bha mi eòlach air De Leib agus air Ker Singh. 'S e De Leib a b' eòlaiche air a robh sinn. Dh'innis De Leib dhuinn gur e uncal dha a bha ann an Ker Singh. Bhiodh iad a' fuireach ann am bothan ann am Marybank[9].

Bha Queen a' cur umhail air na daoine dubha. Nuair a thigeadh iad bha i a' comhartaich ag innse dhuinn gu robh iad anns a' bhaile. Saoilidh mi gu robh fhios aice gur e coigrich a bh' annta man muinntir an insurance, ach gu robh sinn gan iarraidh a-steach a bhroinn an taighe.

Nuair a thigeadh De Leib, thòisicheadh i cho luath 's a bha e anns a' Bhogha Ghlas. Cha robh e a' cumail ri rothaidean. Cha b' ann a' cumail ri rothaidean a bha Innseanaich anns na h-Innseachan, no bha sinn fhìn, ma bha slighe na bu ghiorra ann a ghabhadh sinn. Sguireadh Queen a' comhartaich nuair a bha De Leib a-staigh aig cuideigin, 's thòisicheadh i cho luath 's a ghluaiseadh e a-rithist.

"Èist a bheathaich!" chanadh Antaidh Chris rithe man a b' fhaisg a bha e a' tighinn, 's bhiodh i sàmhach. 'S aon uair 's gu robh De Leib air an taigh againne fhàgail 's gu robh e air a shlighe a thaigh eile, cha tigeadh bìog aiste.

Thigeadh De Leib a-steach, 's shuidheadh e air sèithear chruaidh anns a' scullery. Bhiodh còta mòr, dubh air – cha robh ciall sam bith aige de theas – 's dhèanadh e seòrsa de leth-thiormachadh air aodann le mhuinchill.

been quite dark at the end of my first Bernera summer, with its rock-splitting sunshine.

Anyway, I had no knowledge of Moochy Khan, if that was his name. But I was familiar with De Leib and Ker Singh. We were more familiar with De Leib. De Leib told us that Ker Singh was his uncle. They lived in a bothy at Marybank[10].

Queen sensed a strangeness in the black men. When they came she would bark letting us know they were in the village. I think she knew that they were strangers, like the insurance people, but that we wanted them to come into the house.

When De Leib came, Queen would bark as soon as he was in the Grey Bow. He didn't keep to the roads. The Indians in India did not keep to the roads, nor did we ourselves, if there was a shorter way we could take. Queen would stop barking when De Leib was in someone's house and she would begin once he was on the move again.

"Be quiet, animal!" Aunty Chris would say the closer he came and she would be quiet. And once De Leib had left our house and was on his way to another house, she wouldn't utter a cheep.

De Leib would come in and he would sit on a hard chair in the scullery. He wore a big black overcoat – he had no sense of the heat – and he would sort of half dry his face with his coat-sleeve.

"Water?" dh'fhaighnicheadh mo mhàthair.

"Yes, thank you," fhreagradh esan, 's bheireadh i dha tumbler mòr bùrn fuar.

Bhiodh an ceus gus stracadh.

"Dè fo Shealbh man as urrainn dhan an duine ud coiseachd à Steòrnabhagh leis a' leithid siud air a' ghualainn?" dh'fhaighnicheadh an ceann-baile agus a h-uile ceann-baile eile.

Bheireadh e dheth an dà bhannt a bha ga chumail ri chèile, 's thòisicheadh e a' toirt às.

"Drathars airson cailleach," chanadh e. Bha Gàidhlig an ìre mhath aige.

"Overall..."

"How much?"

"One and two."

"Well, chan eil sin dona. Give me that one."

"Stocainnean nylon."

"How much?"

"Only two and eleven, special offer."

"Oh, chan eil fhios 'am," chanadh mo mhàthair ach bha làn fhios aig De Leib gu robh sale aige air na nylons.

"Obh, obh còta bàn," chanadh De Leib. "Gabh tròcair oirnn."

Nuair a bha a h-uile dad air a thoirt às a' cheus, chuireadh e an t-aodach air ais, ga phasgadh gu faiceallach, toirt an dàrna seans dha na boireannaich a cheannach. Aon uair 's gu robh e làn, chuireadh e a ghlùin air 's dhraghadh e na

"Water?" my mother would ask.

"Yes. Thank you," he would reply, she would give him a big tumbler of cold water.

The case would be near to bursting.

"How in the name of Fortune can that man walk all the way from Stornoway with the likes of that on his shoulder?" The voices of the village would ask – and the voices of every other village.

He would take off the two belts that held it together and he would begin to unload.

"Pants for a ceilleach (old lady)," he would say – he had quite good Gaelic.

"An overall..."

"How much?"

"One and two."

"Well, that's not bad. Give me that one."

"Nylon stockings."

"How much?"

"Only two and eleven – special offer."

"O, I don't know," my mother would say. But De Leib knew full well that he had a sale for the nylons.

De Leib would say, "Obh, obh, còta bàn (Oh my! A petticoat!)" and, "Gabh tròcair oirnn," (Have mercy on us[11.].)

When had he taken everything from the case, he would replace the clothing, folding it carefully, giving the women

banntaichean cho teann 's a ghabhadh. Bheiriste dha an t-airgead, chuireadh e a cheus air a ghualainn, "Cheerio, mar sin leibh," chanadh e, 's dhèanadh e às.

* * *

Thàinig àm buain na mòna[vii]. Dh'èirich mo mhàthair aig sia uairean – na bu thràithe fiù 's na b' àbhaist. Cha robh i a' toirt ach mu cheithir uairean a thìde anns a' leabaidh a h-uile oidhche co-dhiù. Bha i deasachadh aran, 's sgonaichean, 's pancakes tràth, 's chuir i mise a-mach gu bhan Chalum Fhionnlaigh airson na sgoile. Lìon i an uair sin dà bhaga mhòr le zips orra leis a h-uile seòrsa biadh, 's chuir i coire 's pana a dh'fhàgaiste a-muigh aig a' mhòine anns a' phìle a bha a' dol dha na clèibh.

Cha mhòr nach biodh a h-uile duine droil mus fhaigheadh iad air falbh: mo mhàthair a' sgiathalaich air feadh an taighe; Antaidh Chris a' toirt uachdar bhon a' bhainne 's i smaoineachadh gum bu chòir dhi a bhith a' measradh mus deigheadh am bainne goirt, ro ghoirt buileach; m' athair a' cagnadh ìnean agus a' leughadh a' phàipeir.

Dh'fhalbhadh iad mu aon uair deug, mo mhàthair agus Antaidh Chris le cliabh an tè, 's m' athair le dà thairsgeir air a ghualainn. Bha spaid a-muigh ron a siud 's e air a bhith a-muigh a' rùsgadh. Thog iad orra a-mach an lot, suas an Cnoc Glas 's a-mach mu Bheilibhir gus na ràinig iad na puill, beagan air taobh a-staigh gàrradh Bhrèacleit.

Bha latha math ann.

a second chance to buy. Once it was full, he would put his knee on it and tighten the belts as much as could be. He would be given the money and he would put the case on his shoulder. "Cheerio. Mar sin leibh (Farewell)," he would say and he would make off.

* * *

Peat-cutting time came[viii]*. My mother rose at six o'clock – even earlier than usual. She only spent about four hours in bed each night, anyway. She was baking bread, scones and pancakes early, and she took me out to Calum Fhionnlaigh's van to go to school. Then she filled two big bags with zips, with every sort of food and she put a kettle and a pan that would be left out at the peats in the pile that was going into the creels.*

Everyone was driven dotty by the time they set off; my mother flapping all over the house; Aunty Chris skimming cream from the milk, thinking that she should be churning before the milk went sour, too sour altogether; my father biting his nails and reading the paper.

They would leave about eleven o'clock, my mother and Aunty Chris with a creel each on their backs and my father with two peat-cutting irons on his shoulder. The spade was already out there – my father had been out turfing. They made their way out the croft, up the Grey Hill and out by Bheilibhir, until they got to the peat banks, just inside the wall with Brèacleit.

It was a good day.

"Uill, nach eil seo math," chanadh mo mhàthair. Dhèanadh ise latha mòr de latha math sam bith.

Thilg iad na clèibh, 's na tairsgeirean air toman tioram, 's dh'fhalbh m' athair a chur na sgrathan am broinn na puill. Bha e air am fàgail far na bhuain e iad, mus tigeadh uisge trom a' mhilleadh uachdar nam puill. Thog mo mhàthair teine, deiseil airson a chur thuige aig àm bìdhe. Thàinig Iain Tom a chuideachadh.

"Dè man a tha iad a-muigh ann an sin?" dh'fhaighnich mo mhàthair. 'S e piuthar a h-athar a bha ann am màthair Iain Tom.

"Oh, tha iad gu math," arsa esan.

Bhuail iad orra a' buain, m' athair 's Iain Tom air a' chiad fhàd airson gun tilgeadh iad na fàdan pìos math, mo mhàthair agus Antaidh Chris air an dàrna fàd nach robh cho trom orra.

Nuair a thàinig bhan na sgoil fèar aig ceithir uairean, chaidh mo mhàthair sìos chun a' rothaid a smèideadh ri Calum Fhionnlaigh ach a leigeadh e mise dhith.

"Uill," arsa mo mhàthair, "'s e an duine ud! E mì-thoilichte gu robh aige ri dhol beagan a-steach an rathad airson tionndadh."

Ghabh sinn teatha 's chaidh iad a bhuain tuilleadh. Bha mise a' coimhead water spiders, a' gabhail iongantas às ùr nach robh iad a' briseadh uachdar a' bhùirn. 'S dòcha gur ann mar siud a bha Crìosd, nuair a bha e a' coiseachd air muir mòr Ghalilee. Dh'fhalbh sinn dhachaigh, mo mhàthair agus Antaidh Chris le na clèibh.

"Well, isn't this good!" my mother would say. She would make a wonderful day out of any reasonable weather.

They threw the creels and the cutting irons down on a dry hummock and my father went to turn the turfs into the banks. He had left them where he had cut them, in case heavy rain would spoil the banks' surface. My mother built a fire, ready to light at the meal-time. Iain Tom came to help.

"How are they out there?" asked my mother. Iain Tom's mother was her father's sister.

"Oh they're well," he said.

They got down to peat-cutting, my father and Iain Tom on the first layer, so that they could throw the peats a good way out, my mother and Aunty Chris on the lower layer, that was not such heavy work.

When the school van came, just at four o'clock, my mother went down to the roadside to wave to Calum Fhionnlaigh so that he would let me off.

"Well," said my mother. "That man! Displeased that he had to go in the road a bit to turn."

We had tea and they went back to cut more. I was observing water-spiders, wondering anew at how they did not break the surface of the water. Maybe that's how Christ was when he was walking on the great sea of Galilee. We set off for home, my mother and Aunty Chris with the creels.

"Cuine a bhios sinn a' tighinn a-mach leis a' chairt?" dh'fhaighnich mi dha m' athair. Bha obair na cairt air còrdadh rium gu mòr a' bhliadhna ron a sin – a' falbh a-mach 's a-steach innte man cowboy.

"Oh, bidh greis ann fhathast, feumaidh sinn a rùdhadh, 's a h-ath-rùdhadh, 's a cur chun a' rothaid ron a sin," thuirt m' athair.

B' fheàrr leamsa gur ann a-màireach a bhiodh ann, ach co-dhiù thigeadh e na àm fhèin.

Choisich sinn dhachaigh, 's sinn air ar cuairteachadh le sìth bhuain mòinteach Chirceaboist.

"When will we be coming out with the cart?" I asked my father. I had greatly enjoyed the work with the cart last year – going in and out in it like a cowboy.

"Oh, it'll be a while yet. We need to lift them and then lift them again, and then we need to put them to the road before that," said my father.

I wished it could be tomorrow, but, anyway, it would come in its own time.

We walked home, surrounded by the eternal peace of the Circeabost moor.

A' dol dhan an Sgoil - notaichean

1. Griod chruidh: dòigh air crodh is caoraich a chumail bho dhol tro fhosgladh ann am feansa no balla. Bhiodh sloc ga chladhach san talamh agus slatan iarainn gan cur thairis air, air dhòigh 's gum faigheadh daoine is carbadan seachad ach a bhiodh na bhacadh do sprèidh.

3. Inbhir Pheofharain far an robh prìomh oifis na Comhairle.

5. Ma bha thu ag iarraidh airgead an 'dole' (taic do dhaoine gun obair), dh'fheumadh cuideigin aig an inbhe cheart sa choimhearsnachd (ministear no dotair, mar bu tric) dearbhadh nach robh thu air a bhith ag obair.

9. Marybank, baile taobh a-muigh Steòrnabhaigh.

Going to School - footnotes

2. *Cattle grid: a method of stopping cattle and sheep from passing through an opening in a fence or wall whereby a pit was covered with metal bars which people and vehicles could pass over but which hooved animals would be reluctant to attempt.*

4. *The County Council headquarters were in Dingwall.*

6. *To draw 'dole money' (unemployment support) a person of sufficient status was required to certify that you had been unemployed over the claim period. Ministers and doctors were accepted as signatories.*

7. *Lit: 'went astray'*

8. *Lit: 'on the dung-heap' i.e. banished/thrown out*

10. *Marybank, a village outside Stornoway.*

11. *De Leib would mimic the ladies' pious exclamations.*

1. (clì gu deas) mo sheanmhair, mo mhàthair agus mi fhìn, taobh muigh taigh mo sheanar 's mo sheanmhar, Lùnastal 1949.
2. (clì gu deas) mo mhàthair is mo sheanmhair a' measradh aig doras taigh mo sheanar 's mo sheanmhar, Lùnastal 1949.
3. Mi fhìn agus Antaidh Chris taobh muigh taig mo sheanar 's mo sheanmhar, Lùnastal 1949.
4. Mi fhìn agus Antaidh Chris taobh muigh taig mo sheanar 's mo sheanmhar, Lùnastal 1949.
5. Mo sheanair (Tormod Dubh Cheann 'a' Nega agus mi fhìn aig doras taigh mo sheanar 's m sheanmhar, Lùnastal 1949.
6. Mo sheanair agus an t-each aige, 'Jack', faisg air an stàball aig 9 Circeabost c.1940an. (2. A' dol air Falbh)
7. Mi fhìn (air muin eich 'Tommy') agus m' ath c.1953.
8. M' uncal Iain agus m' athair ann am Peairt air latha pòsaidh Iain. 28 Sultain, 1951.
9. M' uncal Iain aig mansa na h-Eaglaise Saoire Grabhair, Ceann a Deas nan Loch, samhradh 1969. (1. A' dol Dhachaigh)
10. M' uncal Iain anns an Nèibhidh Rìoghail, an dàrna cogadh, c.1939.
11. Antaidh Ann, NAAFI, c. 1939. (1. A' dol Dhachaigh)

7

8

9

10

11

12. An t-Urramach Dòmhnall MacAmhlaigh ("Dòmhnall Chlappar") còmhla ris a' Bhana-phrionnsa Diana nuair a thadhail i air Beàrnaraigh. 1985. (1. A' Dol Dhachaigh)

13. An taigh ann an Circeabost c. 1971.

14. An taigh mar a tha e an-diugh!

15. Fionnlagh ("Fionnlagh Thormoid Dhoil") an latha a dh'innis e dhomh sgeul bàs mo sheanar. (1. A' Dol Dhachaigh)

16. Mo mhàthair, Glaschu, 1946.

17. M' athair 's mo mhàthair a' gearradh na cèic aig am banais, Glaschu, 29 Sultain 1947.

18. M' athair 's mo mhàthair, Glaschu, 21 Faoilleach 1946.

12

13

14

15

16

17

18

19
20
21

22

19. Faing Thòranais c.1950an. Dh'fhaodte gur e seo an latha a chaidh 'Queen' air seachran. (3. Latha na Faing)

20. Antaidh Ann le cù mo sheanar, 'Fly' agus a cuilean, 'Queen' faisg air taigh mo sheanar is mo sheanmhar, Lùnastal 1948.

21. M' athair na èideadh Nèibhidh.

22. Trusadh nan caorach. (3. Latha na Faing)

23. Pòsadh Nèill Alasdair agus Ceit Mary Tochaidh le Ailig John air an taobh dheas aig an oir. Seo an dealbh air a bheil mi a' bruidhinn anns an sgeul 'An Dà Bhùth'. Lorgar na h-ainmean uile air làrach-lìn 'Hebridean Connections.'

24. Dòmhnall Calum leis a' bhan aige. (4. An Dà Bhùth)

25. Antaidh Ann.

23

24

25

26. (clì gu deas) Antaidh Cairistìona (le a h-aodann falaichte), Antaidh Chris, agus mi fhìn a' nighe phlaideachan aig cùl an taighe ann an Circeabost.

27. Mo sheanmhair a' snìomh aig ceann an taighe.

28. Dòmhnall Calum, 11 Circeabost. (4. An Dà Bhùth)

29. Buth Dhòmhnaill Chaluim aig Crois a' Rothaid agus am bucas fòn. (4. An Dà Bhùth)

English Captions

1. *(left to right) my grandmother, my mother and myself, outside my grandparents' house, August, 1949.*
2. *(left to right) my mother and my grandmother churning at the door of my grandparents' house, August, 1949.*
3. *Myself and Aunty Chris outside my grandparents' house, August, 1949.*
4. *Myself and Aunty Chris outside my grandparents' house, August, 1949.*
5. *My grandfather (Tormod Dubh Cheann 'a' Negaro') and myself at the door of my grandparents' house, August, 1949.*
6. *My grandfather and his horse, 'Jack', near the stable at 9 Kirkibost c.1940s. (2. Going Away)*
7. *Myself (mounted on 'Tommy') and my father c. 1953.*
8. *My uncle Iain and my father in Perth on Iain's wedding day. September 28, 1951.*
9. *My uncle Iain at the Free Church of Scotland manse, Gravir, South Lochs, summer 1969. (1. Going Home)*
10. *My uncle Iain, Royal Navy, WW2, c. 1939.*
11. *Aunty Ann, NAAFI, c. 1939. (1. Going Home)*
12. *Rev. Donald MacAulay ("Dòmhnall Chlapper") accompanying Princess Diana on her visit to Bernera. 1985. (1. Going Home)*
13. *The house at Kirkibost c. 1971.*
14. *The house as it is today!*
15. *Fionnlagh ("Fionnlagh Thormoid Dhoil") the day he told me the story of my grandfather's death. (1. Going Home)*
16. *My mother, Glasgow, 1946.*
17. *My father and mother cutting the cake at their wedding, Glasgow, September 29, 1947.*
18. *My father and mother, Glasgow, 21 January 1946.*
19. *Sheep-fank at Tòranais c.1950s. This might have been the day that 'Queen' went missing. (3. The Day of the Fank)*
20. *Aunty Ann with my grandfather's dog, 'Fly' and her puppy, 'Queen' near my grandparents' house, August 1948.*
21. *My father in Navy uniform.*
22. *Gathering the sheep. (3. The Day of the Fank)*
23. *Wedding of Niall Alasdair and Ceit Mary Tochaidh with Ailig John on the far right. This is the picture I talk about in the story 'The Two Shops'. Full listing of people to be found on 'Hebridean Connection' website*

24. *Dòmhnall Calum with his van. (4. The Two Shops)*

25. *Aunty Ann.*

26. *(left to right) Aunty Cairistìona (with her face hidden), Aunty Chris, and myself, washing blankets behind the house in Kirkibost.*

27. *My grandmother spinning at the end of the house.*

28. *Dòmhnall Calum, 11 Circeabost. (4. The Two Shops)*

29. *Dòmhnall Calum's shop at the crossroads, and the phone box. (4. The Two Shops)*

31

32

33

34

SY743

36

37

30. Mo sheanmhair agus mi fhìn.

31. Antaidh Chris (cas-ruisgte!) a' bleoghan 'Shorty-Horn' air a' chroit, Lùnastal 1948. (6. Caoch 'Daisy')

32. Mo sheanair le 'Jack' an t-each, agus cairt mònadh. (2. A' dol air Falbh)

33. Mo sheanmhair agus mi fhìn, c.1954.

34. Coinneach Dochart, a mharbh a' bhò 'Daisy' (6. Caoch 'Daisy') agus a dh'innis dhuinn gun robh an similear na theine. (8. Criosamus)

35. Ailig John is Seònaid, agus Baba is Bill, a' tilleadh a dh'Iarsiadar ann an geòla Sheonaidh a' Mhorghain à banais dhùbailte ann am Beàrnaraigh, am Màrt 1953 (8. Criosamus). Lorgar na h-ainmean uile air làrach-lìn 'Hebridean Connections.'

36. Clas sgoile mo mhàthar c.1928 le mo mhàthair aig ceann clì an t-sreath mheadhain agus Ailig John aig ceann deas an t-sreath thoisich. (5. A' dol dhan an Sgoil) Lorgar na h-ainmean uile air làrach-lìn 'Hebridean Connections.'

37. Raon-cluiche Sgoil Bheàrnaraigh. (5. A' dol dhan an Sgoil)

38. Sgoil agus Taigh-sgoile Bheàrnaraigh. Eaglais na h-Alba aig a' chùl. (5. A' dol dhan an Sgoil)

39

41

42

39. (Cùl: clì gu deas) co-ogha, Seonaidh Chalum Thormoid Mhòir, mi fhìn, mo bhràthair Tormod, mo mhàthair. (Toiseach: clì gu deas) Antaidh Cairistìona, mo sheanmhair, Antaidh Chris agus 'Queen', samhradh 1954.

40. An teallach aig 9 Circeabost far an deach an similear na theine (8. Criosamus). Chaidh an dealbh a thogail fada às dèidh sin nuair a bha an taigh an seilbh Count Mirrlees, 'Fear Bheàrnaraigh.'

41. Ailig John – caraid m' òige.

42. Seònaid, bean Ailig John.

---

30. *My grandmother and myself.*

31. *Aunty Chris (barefoot!) milking 'Shorty-Horn' on the croft, August 1948. (6. The Madness of 'Daisy')*

32. *My grandfather with 'Jack' the horse, and a cart of peats. (2. Going Away)*

33. *My grandmother and myself, c.1954.*

34. *Coinneach Dochart, who shot 'Daisy' (6. The Madness of 'Daisy') the cow and told us that the chimney was on fire. (8. Christmas)*
The photo was taken by Dr Macrae (father of Dr J A Macrae).
The photo was kindly supplied by 'Bernera Historical Society'.

35. *Ailig John and Seònaid, and Baba and Bill, returning to Iarsiadar in Seonaidh a' Mhorghain's boat after a double wedding in Bernera, March 1953. (8. Christmas)*

36. *My mother's school class c.1928 with my mother at the far left of the middle row and Ailig John at the far right of the front row. (5. Going to School)*
All names available on 'Hebridean Connections' website.

37. *Bernera school playground. (5. Going to School)*

38. *Bernera school and schoolhouse. Church of Scotland in the background. (5. Going to School).*

39. *(Back: left to right) a cousin, Seonaidh Chalum Thormoid Mhòir, myself, my brother Norman, my mother; (Front: left to right) Aunty Cairistìona, my grandmother, Aunty Chris and 'Queen', summer 1954.*

40. *Fireplace at 9 Kirkibost where the chimney went on fire. (8. Christmas). The photo was taken long after that when the house had been bought by Count Mirrlees, The Laird of Bernera.'*

41. *Ailig John – my childhood friend.*

42. *Seònaid, Ailig John's wife.*

6 - Caoch 'Daisy'

"Thugainn," arsa Antaidh Chris, "feumaidh sinn falbh a bhleoghann." Thug i dhomh an stòl trì chasach a bha i air a thoirt às a' bhàthach 's dh'fhalbh sinn a bhleoghann air latha samhraidh.

Air oidhche gheamhraidh bheireadh sinn leinn lanntair agus dà pheile 's chromadh sinn an leathad chas a bha a' dol sìos chun a' bhàthaich, gu math tric le gèile agus uisge a' gabhail dhuinn. 'S ann a shaoileadh tu gu robh na speuran fhèin a' feuchainn ri ar tilleadh dhachaigh. Ach, aon uair 's gu robh sinn innte, le fàileadh milis a' chonnlaich 's an arbhar a bha gu h-àrd air an lobht a' toirt cofhurtachd dhuinn, bha sinn cho seasgair ri dà luchag ann an cruach-choirce – ged a bhiodh fuaim an uisge air a' mhullach zinc a' cur nar cuimhne gu feumadh sinn an leathad a dhìreadh a-rithist, mise leis an lanntair 's Antaidh Chris leis an dà pheile bainne.

6 - *The Madness of 'Daisy'*

"Come on," said Aunty Chris, "We must go to do the milking." She gave me the three-legged stool she had brought from the byre, and we set off to milk on a summer's day.

On a winter's night, we would take a lantern and two pails with us, and we would descend the steep hill that led down to the byre – very often with a gale and rain battering us: you would think that the heavens themselves were trying to make us turn for home. But once we were inside, with the sweet smell of hay and oats from the loft above comforting us, we were as cosy as two mice in a corn-stack – even although the noise of the rain on the zinc roof of the byre reminded us that we would have to climb the hill again, me with the lantern and Aunty Chris with two pails of milk.

('S iomadh uair a thìde a chuir mi seachad air falach, mas fhìor, air an lobht, ged a bha fios 'am deamhnaidh math gu robh làn fhios aig na daoine mòra càite an robh mi.)

Ach, 's e bh' againn an-diugh ach latha ciùin samhraidh, 's an crodh air an cur a-mach a shamhrachadh air a' mhòintich. Thog sinn oirnn a-mach an rathad a bha mo sheanair air a thogail nuair a thog iad an taigh-geal. Tron a' gheata aig an rathad mhòr a-steach dhan an Dubh-thòb, tron a' gheata air taobh eile an rothaid ri taobh Creagan na Mì-chomhairle[ix] agus suas an Cnoc Glas gu geata aig ceann a-muigh an lot.

"Trobhad! Trobhad! Trobhad!" dh'èigh Antaidh Chris 's nochd na beathaichean pìos às ann an Gleann Bheilibhir. Thog Daisy oirre 's thàinig i na cabhaig fhad 's a bha Shorty Horn a' toirt a tìde shona fhèin. Bha Daisy a-riamh crost agus fada na ceann.

"Oh, 's e hambug a th' anns a' bheathach sin," chanadh Antaidh Chris. Bheireadh i breab gu taobh sam bith 's chuir i car dhan a' pheile bainne barrachd air aon thrup. "Ach, 's e bò bhleoghainn mhath a th' innte."

'S e bò bhreac a bh' ann an Daisy le adhaircean cunnartach, dìreach man na 'steers' anns na cowboy comics. Ach, bha Shorty Horn na b' annasaiche. Bha na h-adhaircean aicese air fàs sìos, teann ri taobh a cinn. ("Oh, 's ann a tha e fortanach nach deach iad faisg air na sùilean," thuirt Ailig John.) 'S ann ri linn na h-adhaircean èibhinn a fhuair i a h-ainm.

Cheangail Antaidh Chris casan deiridh Daisy ri chèile cho teann 's a b' urrainn dhi le pìos sìoman Theàrlaich[3], shuidh i air an stòl, 's thòisich i a' bleoghann le aon làmh, a' cumail grèim air a' pheile leis an tèile.

(Many an hour had I passed hiding, in my own way of it, in the loft, although I knew that the grown-ups knew full[1] *well where I was.)*

But what we had today was a calm early-summer's day with the cows having been sent out to over-summer on the moor. We made our way out the road my grandfather built when they built the white house. Through the gate at the road that went in to the Black Bay; through the gate on the other side of the road, beside the Crag of Evil Counsel[x] *and up the side of the Grey Hill to the gate at the outer end of the croft.*

"Come! Come! Come!" shouted Aunty Chris, and the beasts appeared, at some distance in Glen Bheilibhir. Daisy came towards us quickly while Shorty-Horn took her own sedate time. Daisy had always been mischievous and obstinate[2]*.*

"That beast is a humbug," Aunty Chris would say. Daisy would kick in any direction and she had overturned a pail of milk more than once. "But she is a good milk-cow."

Daisy was a piebald cow, with dangerous horns, just like the 'steers' in the cowboy comics. But Shorty-Horn was more unusual. Her horns had grown downward, tight to her head. ("Oh, it's fortunate that they did not go near the eyes," said Ailig John.) It was due to her peculiar horns that she got her name.

Aunty Chris tied Daisy's hind legs together, as tightly as she could, with a length of Sìoman Theàrlaich[4]*. She sat on the stool and began to milk with one hand, holding onto the pail with the other.*

'S ann ri Antaidh Chris a bha an crodh, 's a h-uile càil a bhuineadh riutha, an urra. Shaoileadh tu oirre gu robh gràin aice air a h-uile dad a bha i a' dèanamh. Bhiodh i a' còmhradh beag leatha fhèin 's bhiodh drèin air a h-aodann. Ach aig amannan eile bhiodh i a' seinn agus dhèanadh i gàire riumsa 's bha i sona a' dèanamh na bh' aice ri dhèanamh.

'S e ise a bha a' bleoghann 's a' dèanamh bàrr is gruth is ìm, ged a bhiodh mo sheanmhair agus mo sheann Antaidh Cairistìona a' cuideachadh leis a' mheasradh. 'S i bha dèanamh mharagan, dubh agus geal, agus ag ullachadh a' cheanna-chasach nuair a mharbhadh sinn caora. Ged a bha seòrsa de ghairiseachadh agam ron a' cheann, 's e am brot ceanna-chasach[5] aig Antaidh Chris bu mhilis na brot na Sàbaid aig mo mhàthair.

Ach, cha robh brot ceanna-chasach math gu leòr airson an t-Sàbaid, 's co-dhiù dh'fhaodadh gun tigeadh daoine a-steach eadar an dà shearmon.

Bha gràin aig Antaidh Chris air a bhith a' marbhadh chearcan. B' fheàrr leatha gur e mo mhàthair a chuireadh car nan amhach. Bha i bog mar sin. 'S e ise a spìonadh 's a ghlanadh iad ach aig àm na h-Òrdaighean[6] nuair a dh'fheumadh sinn leth an taigh-chearc a chur às an rathad. Bhiodh na h-itean mar flin anns a' scullery 's mo mhàthair, 's mo sheanmhair, 's Antaidh Cairistìona a' spìonadh agus Antaidh Chris a' glanadh. 'S oh, gu sealladh Sealbh orm, am fàileadh!

Saoilidh mi gu robh mise a' leantainn Antaidh Chris a h-uile ceum a ghabhadh i – a bhleoghann, gu na cearcan, chun an tobair – ach feumaidh e bhith gu bheil mi air mo mhealladh. 'S dòcha gur ann air bleoghann an fheasgair a tha mi a' cuimhneachadh.

Aunty Chris was responsible for the cows and all that they entailed. You would think that she hated all that she had to do. She would talk to herself under her breath and wear a grimace. But at other times she would sing and grin at me and she was content with her lot.

It was she that milked, and made cream, and crowdie, and butter although my grandmother and my great aunt Cairistìona helped with the churning. And she made puddings, black and white, and prepared the sheep's head when we slaughtered a sheep. Although I had a kind of horror of the head, Aunty Chris' sheep's head broth was sweeter than my mother's Sunday broth.

But sheep's head broth was not good enough for Sunday, and anyway, people might come in between the two sermons.

Aunty Chris hated killing hens. She preferred it if my mother twisted their necks. She was soft-hearted in that way. It was she that plucked and gutted them, except at the time of the Communions[7]*, when half the hen-house had to be put to death. The feathers would be like light snow in the scullery, with my mother, my grandmother, and Aunty Cairistìona plucking, and Aunty Chris gutting them. And oh, may Fortune look upon me, what a smell!*

It seems to me that I followed Aunty Chris every step she took – milking, tending to the hens, going to the well – but it must be that I am mistaken[8]*. Perhaps I am remembering the evening milking.*

Gu cinnteach bha aon mhadainn nach robh mi còmhla rithe. Madainn Disathairne, dh'èirich mi 's thàinig mi sìos an staidhre na mo phyjamas. Bha m' athair agus mo mhàthair anns a' living-room, Granaidh agus Antaidh Cairistìona gun èirigh. Thug mo mhàthair dhomh pìos tost 's cupan teatha. Bha m' athair a' leughadh a' phàipeir. Chuala sinn doras a-muigh a' scullery a' fosgladh, 's nochd Antaidh Chris ann an doras a' living-room. Bha tè dhe na neapraigean a bhiodh aice ann am muinchill a cardigan teann ri beul 's na deòir a' ruith sìos a h-aodann.

"Oh, tha Daisy done," arsa ise.

Bha an còmhradh fhèin duilich dhi.

"Tha i crochte air an fheansa ud shuas. Tha feagal orm gu bheil i finished."

Thòisich i a' rànail, 's chuir sin feagal mòr ormsa. Thilg m' athair am pàipear 's rinn e às. Shuidh Antaidh Chris anns an t-sèithear mhòr 's thug i neapraig eile às a muinchill. Dh'fhalbh mo mhàthair agus thug i dhi tubhailt shoithichean.

"Dè fo Shealbh a tha air tachairt?" dh'fhaighnich mo mhàthair. Bha Antaidh Chris leis a' neapraig teann ri beul 's a sròin ach an cumadh i grèim oirre fhèin.

"Oh, tha Daisy air a droch reubadh. Air a droch, droch reubadh," thuirt i, 's dh'fhalbh mo mhàthair a-mach.

"Nise, fuirich thusa ann an seo an-dràsta," thuirt mo mhàthair riumsa.

* * *

Bheannaich Granaidh am biadh aig bòrd na diathad le altachadh goirid, 's thug sin cead dha m' athair innse man a

Certainly, there was one morning when I was not with her. Saturday morning, I got up and came downstairs in my pyjamas. My father and mother were in the living-room, Granny and Aunty Cairistìona not yet up. My mother gave me a piece of toast and a cup of tea. My father was reading the paper. We heard the outer door of the scullery open and Aunty Chris appeared in the living-room door. She had one of the handkerchiefs she kept in the sleeve of her cardigan tight to her mouth and tears were running down her face.

"Oh! Daisy is done," she said.

Just speaking was difficult for her. "She is hanging on that fence up there. I am afraid that she is finished."

She began to cry and that frightened me greatly. My father threw the paper and made off. Aunty Chris sat in the big chair and she took another handkerchief from her sleeve. My mother went and gave her a dish towel.

"What under Fortune has happened?" asked my mother. Aunty Chris had the handkerchief tight to her mouth and nose, in an attempt to keep control of herself.

"Oh, Daisy is badly torn – badly, badly torn," she said, and my mother went out.

"Now, you stay here just now," my mother said to me.

* * *

Granny blessed the food at the dinner table with a short grace and that gave my father leave to relate what had

thachair. Fiù 's air latha dhen t-seòrsa sa dh'fheumaiste cumail ri manners bùird. Bha cuideam mòr air manners bùird anns an taigh againne.

"Uill," arsa m' athair, "leig sinn an truaghag beathaich às co-dhiù. Tha Ailig John a' cumail a-mach gun tàinig caoch de sheòrsa air choireigin oirre. Dh'fheuch i ris an fheansa ùr shuas os cionn a' stàbaill a leam, ach cha do rinn i a' chùis 's thàinig i a nuas cruaidh air a' ueir bhiorach. Tha coltas oirre gun do rinn i oidhirp mhòr airson faighinn às. Tha a h-ùth 's a mionach ann am mess. Thàinig Dòmhnall Mhurchaidh Sgodaidh an uair sin ach cha robh dòigh againne air a toirt às ach an fheansa a ghearradh le wire cutters Ailig John – pity na croich agus feansa ùr ann. Chrom i a' leathad air a socair. Tha e duilich dèanamh a-mach a bheil pian oirre no nach eil. Co-dhiù chuir sinn dhan a' lios i air cùl na bàthaich."

Bha Antaidh Chris air falbh suas tron an taigh. Cha b' urrainn dhi sealltainn ri biadh 's cha robh i airson èisteachd ri na bh' aig m' athair ri ràdh.

"Dè a-nis?" dh'fhaighnich mo mhàthair.

"Oh, feumar a marbhadh – beathach sam bith a tha a' fulang," thuirt Granaidh.

"Tha mi air fios a chur air Coinneach Dochart," arsa m' athair.

Thàinig Coinneach Dochart a-steach mus do dh' èirich sinn bhon a' bhòrd. Bha fear dhe na gunnaichean a bha mi air fhaicinn anns a' chèis ghlainne ann an taigh Dochart briste air a' ghàirdean. Cha b' e coltas cowboy a bh' air, 's ann a bha e na bu choltaiche ri bandit, le bòtannan mòr, dungarees le bib, geansaidh mòr, seann seacaid chlò, agus bonaid.

happened. Even on a day such as this, we needed to keep to table manners. Great weight was placed on table manners in our house.

"Well," said my father, "We freed the poor beast anyway. Ailig John thinks that some sort of madness came over her. She tried to jump the new fence up above the stable, but she didn't make it and she came down hard on the barbed wire. It looks as if she made a great effort to get away. Her udder and belly are in a mess. Dòmhnall Mhurchaidh Sgodaidh came then, but there was no way to free her but to cut the fence with Ailig John's wire-cutters – a great[9] pity with it being a new fence. She went down the hill gently – it's difficult to make out whether she is in pain or not. Anyway we put her in the garden behind the byre."

Aunty Chris had gone up into the house. She couldn't look at food and she did not want to listen to what my father had to say.

"What now?" asked my mother.

"O, we need to slaughter her – any animal that is suffering," said Granny.

"I've sent for Coinneach Dochart," said my father.

Coinneach Dochart came in before we rose from the table. He had one of the guns I had seen in the glass case in Dochart's house, broken on his arm. His appearance was not that of a cowboy – he was more like a bandit, with big wellingtons, bibbed dungarees, a big Guernsey, an old tweed jacket and a bonnet.

"Latha math," arsa esan.

"Chan eil i dona," arsa m' athair.

"Dè man a tha iad a sin thall?" dh'fhaighnich mo sheanmhair.

"Oh, tha a h-uile duine an ìre mhath," thuirt Coinneach Dochart.

"Siuthad, suidh ann an sin," thuirt mo mhàthair, 's shuidh Coinneach Dochart anns an t-sèithear mhòr aig an stòbha.

"Nach gabh thu balgam teatha?"

"Oh, cha ghabh, tapadh leat," arsa Coinneach Dochart. "Chan eil mi ach air èirigh bho mo dhiathad."

Bha agamsa ri grèim a chumail orm fhìn, 's mi a' dannsa leis a' phian, cha mhòr, a bha orm airson faighinn a-mach dè bha dol a thachairt. Bha fios agam gur ann ri linn Daisy a bha Coinneach Dochart air a thighinn – ach 's e an gunna a thug thugam le brag, dè dìreach a bha sin a' ciallachadh.

"Cuiridh mise peilear innte an-dràsta mas e sin a tha sibh ag iarraidh," thuirt e. Cha tuirt duine dad. Bha fhios aca cho mòr 's a bha a' cheist, ach bha fhios cuideachd gu feumadh cuideigin freagairt a thoirt dhi.

Bha Ailig John air a thighinn a-steach. Thug m' athair 's mo sheanmhair sùil air.

"Uill," arsa esan às dèidh greis, "dh'fhaodaiste a fàgail gu Diluain. Chaidh mi sìos dhan a' lios a thoirt sùil oirre 's tha i dòigheil gu leòr. Cuimhnich gu feumar a sgoltadh 's an uair sin a togail a-steach dhan a bhàthaich, 's an sgudal a chur fon an talamh. 'S e obair latha a tha 'ann an sin fhèin 's bidh feum air grunnan dhaoine."

"It's a good day," he said.

"It's not bad," said my father.

"How are they over there?" asked my grandmother.

"Oh, everyone is doing well," said Coinneach Dochart.

"Go on, sit there," said my mother, and Coinneach Dochart sat in the big chair by the stove.

"Won't you take a mouthful of tea?"

"Oh I won't, thank you," said Coinneach Dochart. "I've just risen from my dinner."

I had to keep a grip on myself. I was almost dancing with the pain I was in to find out what was going to happen. It was clear that Coinneach Dochart had come because of Daisy – but it was the gun that brought home to me with a bang just what that meant.

"I will put a bullet in her now, if that is what you want," he said. Nobody said anything. They all knew the enormity of the question, and it was also clear that someone would have to answer it.

Ailig John had come in. My father and my grandmother looked[10] at him.

"Well," he said after a pause, "she could be left until Monday. I went down to the garden to look at her, and she is peaceful enough. Remember that we need to disembowel her. Then we will need to lift her into the byre and bury the offal[11]. That is a day's work in itself and we will need several men."

"'S e sin as fheàrr," arsa m' athair.

"'S e, 's e," arsa mo sheanmhair. "'S feumaidh sinn roinnean a dhèanamh man as àbhaist gun dìochuimhnicheadh an fheadhainn nach bi an sàs innte, man Eilidh agus Catrìona anns an taigh ud shìos.

"Cuiridh mi fios gu càch 's thig mi às dèidh na bracaist Diluain," thuirt Coinneach Dochart. "mar sin leibh an-dràsta."

"Obh, obh," arsa Granaidh, "'s ann a thig breitheanas air an dachaigh 's sinn gun na leabhraichean a ghabhail[12]."

"Abair breitheanas, abair breitheanas, abair breitheanas," arsa Antaidh Chris fo h-anail 's i le neapraig gu a sùilean. Dh'fhalbh i suas an staidhre.

Thàinig Ailig John a-steach 's e air Shorty Horn a bhleoghann. Chuir e am peile air an làr 's chuir e dà bhotal bainne air a' bhòrd. Aon bhuaidhe fhèin agus Seònaid 's fear eile bho mhuinntir Sgodaidh.

"Oh, cha leigeadh iad a leas!" thuirt mo mhàthair. "Tha bainne gu leòr ann an seo mar-thà, a chumadh bàta-iasgaich airson mìos. Ach tha daoine cho coibhneil."

* * *

Bha feasgar Disathairne fada. Cho fada ri gu sìorraidh. Cha robh na leabhraichean anns a' bhookcase nan cur-seachad man a b' àbhaist. Ach, ma bha sin fada, cha robh dad aige air Latha na Sàbaid. Siud an t-Sàbaid a b' fhaide a bha a-riamh ann am baile Chirceaboist.

"That would be best," said my father.

"Yes. Yes," said my grandmother. "And we'll need to share, as usual, without forgetting those that won't be involved, such as Eilidh and Catrìona in the house down there."

"I'll send a message to the others, and I'll be here after breakfast time on Monday," said Coinneach Dochart. "Farewell for now."

"O dear," said Granny. "A curse[13] *will befall the household with us not having read the Bible*[14]*."*

"Some curse, some curse, some curse," said Aunty Chris, under her breath, holding a handkerchief to her eyes. She went off upstairs.

Ailig John came in, having milked Shorty-Horn. He placed the pail on the floor and he put two bottles of milk on the table – one from himself and Seònaid and another from Sgodaidh's people.

"Oh they didn't need to!" said my mother. "There is enough milk here already to keep a fishing boat for a month. But people are so thoughtful."

* * *

Saturday afternoon was long – as long as forever. The books in the bookcase were not as compelling as usual. But if that was long, it had nothing on Sunday. That was the longest Sabbath that ever there was in the township of Circeabost.

Laigh mise anns an leabaidh cho fada 's a b' urrainn dhomh. Bha leth-dhùil 'am ri bracaist anns an leabaidh ach dh' èigh mo mhàthair orm agus chaidh mi sìos gu ugh 's tost a bha a' feitheamh rium, ged nach robh mòran acras orm. Nuair a bha mi deiseil thuirt mo mhàthair, "Thugainn a-steach," 's chaidh sinn dhan a' living-room ach an gabhadh Granaidh na leabhraichean.

Rinn i ùrnaigh 's leugh i sailm agus caibideil às a' Bhìoball. Chaidh sinn an uair sin air ar glùinean. Chuir mise m' aodann, 's mo shùilean dùinte, cho domhainn 's a b' urrainn dhomh dhan a' chuisean a bha anns an t-sèithear mhòr anns an robh mi air a bhith na mo shuidhe. 'S dòcha gu sealladh Dia le truas air Daisy bhochd air Latha na Sàbaid.

Ach, cha b' ann airson Daisy a bha Granaidh ag ùrnaigh ach airson an teaghlach 's na bhuineadh dhuinn. Rinn mise ùrnaigh bheag airson gun dèanadh Dia mìorbhail man a rinn e le Lazarus. Ach, bha fhios agam nach èisteadh Dia ri balach beag dhe mo leithid-s' nuair a bha boireannach math samhail mo sheanmhar a' bruidhinn ris.

Nuair a bha mo mhàthair a' deasachadh diathad na Sàbaid, 's m' athair a' leughadh a' phàipeir 's Granaidh a' leughadh a' Bhìobaill, dh'fhalbh mi a-null air mo shocair gu na pallachan[16] a-mach bho cheann an taighe, ged nach robh còir no cead agamsa a dhol faisg orra, mas tuitinn gu mo bhàs.

Ràinig mi oir a' phalla a b' airde 's thug mi sùil sìos dhan an lios. Bha Daisy na seasamh stòlda. "Uill, co-dhiù," thuirt mi rium fhìn, "bidh i sàbhailt anns an lios."

Bha gàrradh math cloiche timcheall air a' lios air cùl na bàthaich airson dìon a chur air na gocan 's na cruachan-choirce

I lay in bed for as long as I could. I half expected breakfast in bed, but my mother called me and I went down to an egg and toast that awaited me, although I was not very hungry. When I had done, my mother said, "Let's go in," And we went into the living-room so that Granny could read the Bible.

She said a prayer, and she read a psalm and a chapter from the Bible. We went onto our knees then. I placed my face with my eyes closed, as deeply as I could into the cushion in the big chair in which I had been sitting. Maybe God would look with pity on poor Daisy on the Sabbath Day.

But it was not for Daisy that Granny was praying, but for our family and everyone related to us. I said a small prayer, asking God to do a miracle, as he had with Lazarus. But I knew that God would not listen to a small boy like me, when a good woman like my grandmother was speaking to him.

When my mother was preparing the Sunday dinner, and my father reading the paper, and Granny reading the Bible, I went over stealthily to the stone ledges[15]*, just out from the end of the house, although I had no right or permission to go near them, for fear I would fall to my death.*

I got to the edge of the highest ledge and looked down into the garden. Daisy was standing peacefully. "Well, anyway," I said to myself, "she will be safe in the garden."

There was a good stone wall surrounding the garden behind the byre, in order to keep safe the hayricks, the corn-stooks, the rhubarb, the blackcurrants and the

'S an rùbrab, 's na blackcurrants, 's a' chraobh-chuilc leis am biodh sinn a' dèanamh clèibh. Bha an lios a-riamh a' còrdadh rium. 'S ann aiste a thigeadh jam rùbrab agus jam blackcurrant agus 's ann a bha spòrs mòr innte nuair a bhiodh sinn a' cur a-steach a' choirce. Nuair a bheireadh sinn na badan bho dheireadh air falbh dhèanadh na luchagan às – an fheadhainn nach robh luath gu leòr airson a bhith a' dèanamh dha na tuill aca. 'S bhiodh sinne a' stampadh 's a' ruith airson am marbhadh mus deigheadh iad a chruach-choirc eile no, na bu mhios buileach, dhan a' bhàthaich. 'S an uair sin dhòrtadh sinn bùrn dha na tuill 's thigeadh tuilleadh a-mach – 's sinne a' stampadh 's a' dannsa mar òinseach 's dà amadan – Antaidh Chris, is m' athair, 's mi fhìn. Cha bhiodh sgeul air mo mhàthair. Dhèanadh ise às mus cuireadh sinn dragh air na badan ìosal. Bha feagal dearg a beatha aice ro luchagan.

Nuair a dh'fhidiriste tè a-staigh, leumadh i air sèithear 's crith innte, 's thogadh i a h-aodach os cionn a glùinean 's dh'fhuiricheadh i ann an sin gus am biodh an 'all clear' ann.

Thogadh sinn a h-uile luchag air earball, chuireadh sinn iad dhan an ditch a bha ri taobh liantag an arbhair, 's chunntadh sinn iad, "22," arsa m' athair.

Ach, cha b' e sin a bh' agam an-diugh ach latha Sàbaid nach robh a' dol a thighinn gu deireadh ann am bith. Chaidh mi suas gu Ailig John. Cha b' urrainn dhuinn cairtean a chluich air an t-Sàbaid, 's cha robh na seanchasan fhèin cho pailt. Bha cuideam Daisy oirnn gu lèir. Ach, co-dhiù thug mi am feasgar ann, 's rinn sin feum.

* * *

willow tree, from which we made creels. I had always enjoyed the garden. It was from there that the rhubarb and blackcurrant jam came, but the big fun and games happened in it when we were putting the corn inside. When we took the last sheaves of corn away, the mice would make off – those of them that had not been fast enough to hide in their holes. And we would be stamping and running to kill them before they went into another corn-stook or, worse still, into the byre. And then, we would pour water into the holes and more mice would rush out – and we stamping and dancing like a fool and two idiots – Aunty Chris, my father and I. There would be no sign[17] of my mother. She would make off before we disturbed the lower sheaves. She was mortally afraid[18] of mice.

When one was detected indoors, she would jump onto a chair, shaking, and she would hoist her clothes above her knees and she would stay there until the 'all clear' was sounded.

We would lift every mouse by its tail and put them in the ditch surrounding the small corn field, and count them: "22," said my father.

But that was not what I had today, but a Sunday that was never going to end. I went up to Ailig John. We couldn't play cards on the Sabbath and even the stories were not as plentiful as usual. We were all weighed down by Daisy. But anyway, I spent the afternoon there and that did some good.

* * *

Madainn Diluain. Sheas mi fhìn agus m' athair air an staran aig doras a' scullery, 's na fireannaich a' tighinn bhon a h-uile taobh 's iad a' cruinneachadh anns a' lios. Dh'fhalbh m' athair sìos, 's mise às a dhèidh.

Bha na fireannaich nan seasamh timcheall Daisy, 's ise an ìre mhath far an robh i.

"Fhearaibh," arsa Coinneach Dochart, "tha mi dol a leigeil às am peilear chun an taobh sin." 'S rinn iad rùm dha. Bha daoine a' còmhradh ann an guthan sàmhach man gum biodh iad aig tìodhlacadh. Mhothaich mi de dh'fhear le fiamh a' ghàire air aodann, 's ghabh mi iongantas nach robh na bha romhainn a' cur dad air. ("Oh, droch isean," chanadh mo mhàthair an corra uair a bhruidhneadh sinn air.)

Bha mise na mo sheasamh air cùlaibh Choinnich Dochart. Chuir e an gunna gu cùl cluais Daisy, shlaod e an trigger agus thàinig am brag. Rinn Daisy seòrsa de mhùthail amaideach, 's a teanga a-mach le roille ma beul. Chaidh i air a glùinean agus thuit i air a cliathaich. Thàinig crith innte a chaidh sìos gu a h-earball. Dh'aithnich mi gu robh Daisy marbh.

"Dèan às dhachaigh," arsa m' athair rium. "Tha tòrr againn ri dhèanamh ann an seo 's cha bu chòir dhutsa bhith ann."

Thuig mi fhìn nach bu chòir. Bha mi air gu leòr fhaicinn.

* * *

Bruadaran: Daisy a' toirt sùil orm, a sùilean a' dorchnachadh ann an grèim a' bhàis; a' leum feansa cho glan ri cù; mi fhìn 's i fhèin a' tuiteam sìos na pallachan, solas na gealaich cho geal ris an latha; 's a' fear a bha coma dè bha tachairt dha Daisy a' lachanaich.

Monday Morning. My father and I stood on the path at the door of the scullery with the men coming from every side, gathering in the garden. My father went down, with me after him.

The men were standing around Daisy, and she more or less where she had been.

"Men," said Coinneach Dochart, "I am going to fire the bullet to that side." And they made room for him. People were talking in hushed voices, as if they were at a funeral. I noticed a man with a faint grin on his face and I was surprised that what lay before us did not seem to burden him. ("Oh, a bad apple[19]," my mother would say on the rare occasion when we spoke of him.)

I was standing behind Coinneach Dochart. He put the gun to the back of Daisy's ear and he pulled the trigger and the bang came. Daisy uttered a sort of foolish low, her tongue lolling with saliva round her mouth. She sank to her knees and fell onto her side. A shiver passed through her down to her tail. I knew that Daisy was dead.

"Get off home[20]," my father said to me. "We have a lot to do here and you shouldn't be here."

I understood myself that I shouldn't be. I had seen enough.

* * *

Dreams: Daisy looking at me[21] with her eyes darkening in the grip of death; jumping a fence as cleanly as a dog; she and I falling down the ledges, the light of the moon as bright as day; and the man that did not care what was happening to Daisy laughing.

Cha robh feum ann an ùrnaigh oir cha robh anam ann am bò, 's bha sin fhèin a' togail ceist: càite an deach a' bheatha, a' beothalachd, a bha air a bhith ann an Daisy, ann am priobadh na sùla? Cho luath 's a dh'fhalbh am peilear, dh'fhalbh a' bheatha aiste. Càite an deach e? Cò às a thàinig e? Nam biodh anam ann an Daisy 's ann dhan a' bhàthaich a dheigheadh e no 's dòcha chun a' mòinteach. An t-àite, co-dhiù, a b' fheàrr leatha fhèin. 'S am falbhadh beatha duine cho furasta ri siud? An e siud a dhèanadh na Ruiseanaich[22] nuair a thigeadh iad? Peilear na do cheann ann an lios air choireigin?

* * *

An ath thuras a chunnaic mise Daisy, bha i air bòrd na diathad. Chòrd i math ri m' athair ach bha càch a' gearain gu robh i ruighinn.

"Oh, chan eil dad ann cho math ri doileannach[24] muilt," thuirt mo mhàthair, agus 's e sin am beachd a bh' agamsa cuideachd.

Bha leth-dhùil agamsa gun cuireadh sealladh Daisy air an asaid mhòr m' Antaidh Chris dotail, ach cha do shaoil i càil dheth. 'S iomadh ciora a bha ise air a chur air a' bhòrd, 's iomadh marag a bha i air ullachadh. "Chan eil annta ach beathaichean, cuimhnich," chanadh iad.

Aon uair 's gu robh sinn air Daisy ithe (no an ceathramh dhi a bh' againn às dèidh a roinn) dh'fhalbh na bruadaran. Ach, cha do sguir na smuaintean: dè a th' ann am beatha beathach? Dè a th' ann am beatha duine? An e an aon rud a th' annta?

There was no use in praying, for a cow does not have a soul, and that itself raises a question: where did the life, the vitality, that had been in Daisy go, in the blink of an eye? As soon as the bullet flew, her life left her. Where did it go? Where did it come from? If Daisy had had a soul, it would have gone to the byre or, maybe, to the moor. The place, anyway, that she liked most. And would a person's life go as easily as that? Would that be what the Russians[23] would do when they came? A bullet in your head in some garden?

* * *

The next time I saw Daisy she was on the dinner table. My father enjoyed her greatly but everyone else complained that she was tough.

"O, there's nothing as good as a two-year-old wedder," said my mother. And that was my opinion too.

I had half expected that the sight of Daisy in the big ashet would drive Aunty Chris dotty, but she thought nothing of it. She had placed many a pet lamb on the table, and many a pudding had she prepared – "they are only animals, remember," people would say.

Once we had eaten Daisy (or the quarter of her left to us after sharing her) the dreams went. But the thoughts didn't stop: what is the life of an animal? What is the life of a person? Are they the same thing?

"Oh, chan e," thuirt Granaidh. "Tha anam ann an duine a bhios beò gu bràth còmhla ri Dia ma bhios e na dhuine glic."

Dè seòrsa ceartas a tha ann an sin? Nach robh diù-dais aig Dia dhen a' chuid-mhòr dhe na chruthaich e. Bha fhios agam nach fhaighinn ciall no fìrinn bho na daoine mòra, 's gu feumainn faighinn a-mach air mo shon fhìn,

"'S e sin a bhios iad a' cantainn," thuirt Ailig John, 's dhèilig e na cairtean. "Hearts trumps," arsa esan. Dh'aithnich mi a-rithist gur e ceist duilich a bha agam.

* * *

Ach, cha b' e siud deireadh Daisy. 'S ann a dh'èirich a taibhse. Bha m' athair na laighe anns an leabaidh nuair a chuir e car na shròin. Bha sròin gheur air m' athair. Bha gràin aige a-riamh air na seòladairean a bhiodh còmhla ris anns na soithichean nach biodh gan nighe fhèin ceart – no idir, 's dòcha.

"Gu sealladh Sealbh orm, dè tha siud?" thuirt e ris fhèin, 's chuir e an aon cheist air mo mhàthair nuair a chaidh e sìos an staidhre.

"Tha am beathach ud shìos," fhreagair mo mhàthair.

Bha na coin air uaigh sgudal Daisy fhosgladh, 's bha a' fàileadh air èirigh agus air a thighinn a-steach tro na h-uinneagan. 'S aon uair 's gun deach na dorsan fhosgladh bha am fàileadh gaireasachail. Bha mise a' gòmaidaich, ach chùm càch orra. Thuirt mo mhàthair rium a dhol suas gu Ailig John, 's thug mise an latha a' falbh chaoraich.

"Oh no!" said Granny. "A person has a soul that will live forever with God, if he is a wise man."

What sort of justice is that? It showed that God did not give a dashed care about most of His creation. I knew that I would not get sense or truth from the grown-ups and I would have to find out for myself,

"That is what they say," said Ailig John and he dealt the cards. "Hearts for trumps," he said. I recognised again that my question was a difficult one.

* * *

But that was not the end of Daisy. Her ghost arose. My father was lying in bed, when he wrinkled his nose. He had a sharp sense of smell. He had always detested the other seamen with him in ships who did not wash themselves properly – or at all, maybe.

"May Providence look upon me, what is that?" he said to himself, and he put the same question to my mother when he went downstairs.

"It's that beast down there," replied my mother.

The dogs had opened Daisy's offal grave and the smell had risen up the hill and seeped in through the windows, and once the doors were opened the smell was ghastly. I was retching, but the others controlled themselves. My mother told me to go up to Ailig John and I spent the day tending[25] *sheep.*

Chaidh m' athair bochd sìos le crabhat ma shròin. Chuir mo mhàthair scent oirre. Rinn e a dhìcheall 's chuir e clachan mòra air mullach an tiùrr. Ged a bha cùisean beagan na b' fheàrr, lean a' fàileadh tron oidhche. Ach an uair sin, ghabh Eilean Bheàrnaraigh truas oirnn, 's thàinig gaoth 's tuil, 's sgiùrs sin Daisy às.

Ach, gus an latha an-diugh nuair a gheibh mise fàileadh closaich air a' mhòinteach no nuair a chluinneas mi, 'Hey Diddle Diddle, the cat and fiddle, the cow jumped over the moon,' bidh Daisy a' tighinn gu mo chuimhne. 'S nuair a chluinneas mi, 'The little dog laughed, to see such fun,' bidh mi a' faicinn a' fear nach do ghabh thuige fhèin an rud uabhasach anns an robh sinn an sàs. 'S nuair a chluinneas mi, 'And the dish ran away with the spoon,' tha truinnsear brot air mo bheulaibh air a' bhòrd, anns a' scullery ann an Circeabost.

My poor father went down with a cravat round his nose. My mother put scent on it. He did his best, putting large stones on the top of the pile. Although matters were a bit better, the smell persisted through the night. Then the island of Bernera took pity on us – wind and heavy rain came and that cleared Daisy away.

But, to this day, when I catch the smell of a dead sheep on the moor, or when I hear, 'Hey diddle, diddle, the cat and the fiddle, The cow jumped over the moon,' Daisy comes into my memory. And when I hear, 'The little dog laughed to see such fun,' I see the man who was not affected by the awful matter in which we were engaged. And when I hear, 'And the dish ran away with the spoon,' there is a plate of broth before me, on the table, in the scullery in Circeabost.

3. Faic Nota-deiridh iii

5. Ged nach robh sinn ag ithe nan casan tha e coltach gu robh daoine gan ithe leis a' cheann aig aon àm, a rèir an leabhair *Seanfhacail is Seanchas*, "The head and trotters, ceanna-chasach, were seldom discarded; and the term ceanna-chasach persisted long after it became common-place for the trotters to be discarded." Iain MacIlleathainn & Maletta Nicphàil (2005). *Seanfhacail is Seanchas*. Steòrnabhagh: Gazette Steòrnabhaigh. Mo thaing do Annella Nicleòid airson an fhiosrachaidh seo.

6. Àm nan Òrdaighean: nuair a bhios daoine sna h-eaglaisean Clèireach a' coinneachadh airson comanachadh. Bidh daoine bho sgìrean eile a' tighinn gu òrdaighean gach eaglais agus a thuilleadh air àm aoraidh 's e cothrom a th' ann coinneachadh ri caraidean agus aoigheachd a thoirt seachad.

12. Gabhail an leabhair - aoradh taighe/teaghlaich a bha cumanta ann an dachaighean Clèireach Gàidhealach.

16. Faic Nota-coise 1 ann an Caib. 2

22. Bha sgàile a' Chogaidh Fhuair an còmhnaidh nar beatha nuair a bha mise nam bhalach. Bha na pàipearan agus na Pathe News Reels, a chunnaic sinn san sgoil, làn rabhaidhean mu bhagairt a' bhom niùclasaich agus an teans gun dèigheadh ar gabhail thairis leis na Ruiseanaich.

24. Mo thaing do Annella Nicleòid airson m' aire a tharraing don fhacal 'dobhliadhnach'.

1. *Lit: 'deuced well'*

2. *Lit: 'long in her head/mind'*

4. *See Endnote iv*

7. *Communion celebrations: communion is taken by each Presbyterian congregation on specific weekends of the year with people from other congregations visiting to take part. Communion weekends, as well as being religious affairs, are times for people to meet friends from other areas and offer hospitality.*

8. *Lit: 'deceived'*

9. *Lit: 'a gallows pity' i.e a damned shame*

10. *Lit: 'cast an eye on him'*

11. *Lit: 'waste, rubbish'*

13. *Lit: 'a judgement'*

14. *Lit: 'take/recite the books', referring to the practice of house/family worship which was common in Presbyterian Highland communities.*

15. *See Footnote 1 in Chp. 2*

17. *Lit: 'no tale'*

18. *Lit: 'she had a red (absolute) fear of her life'*

19. *Lit: 'a bad chick'*

20. *Lit: 'Make off (out of it)'*

21. *Lit: 'casting an eye on me'*

24. *The Cold War was a constant backdrop to my boyhood. The papers and the Pathe News Reels, which we saw at school, were full of forebodings about the threat from the nuclear bomb and the probability that we would be overrun by Russians.*

23. *Lit: 'going/traversing'*

7 - A' Chaitheamh

"Daingit!" arsa Ailig John, "tha na stàpallan sa air meirgeadh. Feumaidh e bhith gu bheil dampachd air choireigin a' faighinn thuca."

Bha e air poca pàipear donn a thoirt a's a' phreas eadar an dà rùm, "Ach nì iad a' chùis. Chan eil agam ach an ueir dhruiseach a theannachadh aig ceann a-muigh an lot."

Bha mise air a bhith a-mach 's a-steach à taigh Ailig John bho bu chuimhne leam. Nuair a dheigheadh mo mhàthair no m' Antaidh Chris dhan an tobair a bha mach bho cheann an taighe aige ("chan eil bùrn air an talamh cho math ri bùrn an tobair sa," chanadh mo mhàthair) sheasadh sinn air an làr airson dà fhacal fhaighinn air fhèin no Seònaid, 's sinn a' beannachadh an latha dha mhàthair bhochd 's i air a bhith air an leabaidh airson bliadhnachan mòra.

Cha robh e a' còrdadh rium gu robh i anns an leabaidh aig an teine. Nan deighinn a-steach leam fhìn dh'fheumainn

7 - The Wasting (Tuberculosis)

"Deng-it," said Ailig John, "these staples have rusted. It must be some dampness or other is getting to them."

He had taken a brown-paper bag from the cupboard between the two rooms. "But they'll do – I only need to tighten the barbed wire at the outer end of the croft."

I had been in and out of Ailig John's house for as long as I could remember. When my mother or Aunty Chris went to the well that was a short distance from the end of Ailig John's house ("There isn't water on the earth as good as the water from this well," my mother would say) we would call in briefly[1] for a couple of words with himself, or Seònaid, and we would say hello to[2] his poor mother who had been bed-ridden for many years.

I did not like that she was in the bed by the fire. If I went in on my own, I was expected to go to see her. My mother

a dhol far an robh i. Bha mo mhàthair làn còmhradh nuair a choimheadadh ise a-steach, ach cha robh fhios agamsa dè chanainn rithe. Bheireadh i dhomh briosgaid às an tiona bhriosgaidean 's cha bu dùraig dhòmhsa diùltadh, ged a thuirt mo mhàthair rium iomadh uair, "Na gabh dad a's an taigh sin gun fhios nach bi tinneas ann."

Co-dhiù, dhèanadh i gàire rium, "Iain Beag Màiread an Negaro," chanadh i, 's shuidhinn-sa air a' bheing fon an uinneag ag ithe an cream cracker tioram 's mi gus mo thachdadh. Ach bha fhios agam gur e boireannach coibhneil a bh' innte, 's gu robh truas mòr aig mo sheanmhair rithe.

Aon uair 's gun dh'fhalbh i, thòisich mi a' dol gu Ailig John na bu thrice. Bha Ailig John eadar-dhealaichte ri daoine eile. Ged a bha e na dhuine mòr, ("dìreach mo cho-aois fhìn," chanadh mo mhàthair) bha e na charaid dhòmhsa. Cha robh e a' dèanamh leanabh dhìom, 's cha robh e a' toirt dhomh trì sgillinn no bonn-a-sia airson rids fhaighinn dhìom. Chan e nach robh feum agam air trì sgillinn, prìs bàr Highland Toffee no bonn-a-sia, bàr teoclaid no Crunchie. Bu lugha orm Turkish Delight. Ach, bha mise airson gun gabhadh daoine riumsa, cha b' ann ri balach beag gun seadh.

* * *

Dh'fhalbh sinn a-mach an lot, 's thug sinn leinn am poca stàpallan, òrd, geamhlag bheag, 's pliers, agus Bess. Bhiodh Bess a' durghan beag rithe fhèin.

"Carson a tha i a' dèanamh a' fuaim ud?" dh'fhaighnichinn.

"Oh, bidh i a' còmhradh rithe fhèin mu na caoraich, 's bidh i gan cunntadh nuair a chì i feadhainn leis a' mharc[4] againn fhìn."

had plenty to say when she looked in, but I didn't know what to say to her. She would give me a biscuit from her biscuit tin, and I did not have the confidence to refuse, although my mother had often said, "Don't take anything in that house in case it carries an illness."

Anyway, she would smile at me, "Iain Beag Màiread an Negaro," she would say and I would sit on the bench under the window, eating the dry cream cracker, almost choking. But I knew she was a good woman and that my grandmother pitied her greatly.

Once she had died[3] I began going to Ailig John's more often. Ailig John was different to other people. Although he was a grown man ("Exactly my own contemporary," my mother would say) he was a friend to me. He did not treat me as a child, and he didn't give me thruppence or sixpence to get rid of me. Not that I didn't need thruppence, the price of a bar of Highland Toffee, or sixpence, a bar of chocolate or a Crunchie. I hated Turkish Delight. But I wanted people to take to me not to a small inconsequential boy.

* * *

We went out the croft and we took with us the bag of staples, a hammer, a small jemmy, pliers, and Bess. Bess used to growl softly to herself.

"Why is she making that noise?" I would ask.

"O she'll be talking to herself about sheep. She counts them when she sees one with our 'mark[5]'."

’S nuair a chanadh Ailig John rithe, “Cù math, Bess! Habair cù math!” chanadh i, “Grrr.”

Aon latha bha sinn a-muigh aig caoraich. Thàinig fras throm oirnn. Rinn sinn air Creag an Fhithich ’s ghabh sinn fasgadh. Shuidh sinn a’ coimhead an dòirteadh. An ceann greis rinn i turadh ’s thill a’ ghrian. Bha mise na mo shuidhe air aon taobh de dh’Ailig John, ’s Bess air an taobh eile.

“A bheil thu an dùil am b’ fheàrr falbh?” dh’fhaighnich Ailig John do Bhess.

Chrom Bess a ceann da thuras ’s i ag aontachadh gum bu chòir dhuinn togail oirnn. (Bha mise trì-deug co-dhiù mus do dh’inns Ailig John dhomh gur e esan a thug air Bess a ceann a chromadh, ’s mise làn chreids gur e ise a thug dhuinn a beachd fhèin gum bu chòir dhuinn dèanamh air an taigh.)

Bha sinn a’ coiseachd a-mach an lot. Nuair a thàinig sinn chun an rathad a’ dol gu tuath dhan an Dubh-thòb, thuirt Ailig John, “’S e sin Creagan na Mì-chomhairle[6] air an lot agaibhse. ’S ann ann an sin a chaidh murtair uabhasach a chrochadh. ’S bha fiodh cho gann ’s gun deach an spàrr air an deach a chrochadh a chur na maide-droma ann an taigh ann am Barraglom. ’S cha robh e fada gun a dh’fhalbh na daoine a bh’ anns an taigh sin, le galar a thàinig orra, ’s dh’fhalbh an tughadh bhon an taigh ’s cha robh sgeul air a’ mhaide-droma. Bha daoine a’ cantainn gur e an Satan a thug leis i.

Ràinig sinn ceann a-muigh an lot. Chuir Ailig John spàgan na geamhlag bheag air cùl gath bhiorach a’ ueir dhruiseach, ’s theannaich e i air an t-strainer mhòr a bha aig còrnair na feans.

And when Ailig John would say to her, "Good dog, Bess! What a good dog!" she would say, "Grrr."

One day we were out after sheep. A heavy shower caught us. We made for Raven Rock and took shelter. We sat watching the downpour. After a while, it dried up and the sunshine returned. I was sitting on one side of Ailig John, with Bess on the other side.

"Do you think that we should go?" Ailig John asked Bess.

Bess nodded her head twice, agreeing that we should get going. (I was at least thirteen before Ailig John told me that it was he that made Bess nod her head; I had fully believed that she had given her own opinion that we should make for home.)

We were walking out the croft. When we came to the road running northward to the Black Bay, Ailig John said, "That is the Crag of Evil Counsel[7]*, on your croft. It was there that a terrible murderer was hanged. Wood was so scarce that the spar on which he was hanged was used as a ridge-post in a house in Barraglom. And it was not long until the people of the house were gone, carried off by some sickness that befell them, and the thatch went from the house and there was no sign of the ridge-post. People were saying that it was Satan that took it away."*

We got to the outer end of the croft. Ailig John put the claws of the small jemmy behind the barb of the barbed wire and pulled it tight on the big strainer that was at the corner of the fence.

"Seo," arsa esan, 's chùm mise a' ueir teann leis a' gheamhlag fhad 's a chuir Ailig John stàpall dhan an t-strainer. Chuir e an uair sin stàpallan dha na puist a b' fhaisg.

"Sin agad e, joba math. Tha an Rylock gun charachadh."

Chuir e stàpall no dhà an sàs airson a' feansa Rylock a neartachadh, ged nach robh feum aice air. Chuir e am poca stàpallan ann am bib na dungarees, cas an ùird dhan a' phòcaid rùla, na pliers na phòcaid eile, 's thug e dhòmhsa a' gheamhlag bheag 's dh'fhalbh sinn dhachaigh.

* * *

Bha sinn a' cluich chairtean. Dhèilig mise seachd cairtean dhomh fhìn 's do dh'Ailig John 's chuir mi car dhan a' chairt a bha air mullach a' phac. "Clubs," arsa mise. Bha mi pròiseil cho math 's a bha mi air dèiligeadh nan cairtean. Thug Ailig John sùil air na cairtean a bh' aige, ach cha b' ann air na cairtean a bha aire.

"A bheil fhios agad dè tha mi dol a ràdh riut? Theab sibhse a bhith na b' fhaide gu tuath, faisg air an Dubh-thòb. 'S ann aig Murchadh Moireasdan a bha Number 9, an lot a th' agaibhse an-diugh. Ach, bha esan airson a bhith na b' fhaisg air an tòb ghiomach, 's rinn esan 's do shinn-sheanair, Dubh Cheann, swap 's chaidh an teaghlach acasan gu Number 4."

Cha tuirt mise dad. Bha fhios 'am gun cuireadh e ris an rud a thuirt e. Aon uair 's gu robh Ailig John air a dhol ri seanchas, cha chuireadh mòran stad air.

"'S e duine mìorbhaileach a bha ann am Murchadh Moireasdan. Chàraich e a' seann thòb ghiomach nuair a bha

"Here," he said and I held the wire taut with the small jemmy while Ailig John put a staple into the strainer. He then put staples in the near posts.

"There we are. Good job. The Rylock hasn't moved."

He put a staple or two in to strengthen the Rylock fence, even although it did not need it. He put the bag of staples in the bib of his dungarees, the shaft of the hammer in the rule-pocket, the pliers in his other pocket and he gave me the small jemmy, and we went home.

* * *

We were playing cards. I dealt seven cards for myself and Ailig John and I turned over the card on the top of the pack, "Clubs," I said. I was proud of how skilled I was at dealing cards. Ailig John looked at the cards he had, but his mind was not on the cards.

"Do you know what I am going to tell you? You nearly ended up further north, near the Black Bay. Murchadh Moireasdan had Number 9, the croft you have today. But he wanted to be nearer the lobster pond and he and your great grandfather, Dubh Cheann, swapped and their family went to live at Number 4."

I said nothing. I knew that he would add to the story. Once Ailig John had begun story telling, there was little that could stop him.

"Murchadh Moireasdan was a marvellous man. He repaired the old lobster pond while he was staying in

e a' fuireach ann an Crothair. 'S e giomadair a bh' ann 's a bha na giomadairean a' call airgead. Bha na giomaich a' bàsachadh mus ruigeadh iad na restaurants mhòr ann an Lunnainn 's air tìr mòr 's rinn e an-àirde inntinn an cumail anns an t-sàl cho b' fhada 's a b' urrainn mus cuireadh iad chun an steamer iad.

Nuair a chunnaic e gur e sgeama math a bh' aige, dh'fhalbh e a dh'Astràilia. Dh'obraich e a phassage a-mach 's air ais. Thill e an ceann dà bhliadhna le airgead gu leòr airson an tòb ghiomach a tha a-staigh ann an siud a thogail. Rinn e feum mhòr dhan a' bhaile againne. Nuair a thill na daoine, thàinig esan à Crothair leis an teaghlach gu Number 4. Ach, ron a sin, bha e air balach a chall. Bha e air a thighinn à Crothair ann an geòla chun an tòb ghiomach man a b' àbhaist, 's thug e leis a dhithis bhalach. Dh'fhàg e anns an eathar iad, 's chaidh e a chòmhradh ri na daoine a bha ag obair aig an tòb, ach dh'fhairich e rudeigin agus thill e. Bha Danaidh Beag – cha robh e ach trì – na shuidhe air tobht.

"Càite a bheil Calum?" dh'fhaighnich athair.

"Tha ann an siud," thuirt esan agus e a' coimhead sìos chun an t-sàl. Tha e coltach nach deach Murchadh Moireasdan os a chionn a-riamh. Chaill iad triùir eile, ach bha esan ga choireachadh fhèin airson Calum bochd. Bha daoine a' call de chlann an uair sin, 's bha bàthaidhean cho cumanta. Bha daoine an còmhnaidh aig muir, 's tha chunnartan fhèin a' tighinn an cois sin.

Dhèilig Ailig John trì cairtean an duine.

"'S e Circeabost agus Beàrnaraigh Bheag a' chiad àite anns an deach lotaichean an cur air leth anns na ceàrnaidhean

Crothair. He was a lobster fisherman, and the lobster fishers were losing money. The lobsters were dying before they arrived at the big London restaurants and on the mainland, and he decided he would keep them in seawater for as long as could be, until they were sent off to the steamer.

When he saw that he had a good scheme, he went to Australia, working his passage there and back. He returned after two years with enough money to build the lobster pond that is in there. He did a lot of good for our village. When the people came back, he came from Crothair with his family, to Number 4. But before that, he had lost a son. He had come from Crothair by boat to the lobster pond, as usual, and he took his two sons with him.He left them in the boat and went to talk with the people that were working at the lobster pond. But he sensed something and went back. Little Danaidh – he was only three – was sitting on a thwart.

"Where is Calum?" his father asked.

"He's there," he said, looking down into the sea.

It is likely that Murchadh Moireasdan never got over[8] *it. They lost another three, but he blamed himself for poor Calum. People lost so many children then and drownings were so common. People were always at sea and that brings its own dangers*[9].

Ailig John dealt three cards each.

"Circeabost and Little Bernera were the first places where crofts were allocated in these parts," he said. "The crofts

sa," thuirt e. "Chaidh na lotaichean an toirt seachad ann an 1805 ach an dèidh sin chaidh an cur bàn an ceann fichead bliadhna, ann an 1825."

"Bàn?" arsa mise. Cha robh mi fèar a' tuigsinn dè bha e a' ciallachadh.

"Uill," arsa Ailig John, "'s ann a sgiùrs an t-uachdaran na daoine às, nuair a chaidh Circeabost a chur na phàirt de dh'oighreachd Linsiadar. Chuir iad an t-àite fo chaoraich, 's dh'fhalbh na daoine a bhailtean eile. Chaidh cuid a bhailtean eile ann am Beàrnaraigh, 's chaidh cuid dhan an Rubha 's chaidh feadhainn a Bhostadh. Bha na sgiùrsaidhean sin air tòiseachadh an uair sin. Bha barrachd prothaid aig na h-uachdarain às na caoraich na bh' aca bhon a' bheagan màl a bha iad a' faighinn bho na croitearan. 'S bha iad a' dèanamh a-mach gur e rud math a bh' ann do dhaoine falbh a dh'àitichean eile, far am biodh, mas fhìor, fearann na b' fheàrr 's cothroman mòr aca.

Bha na h-uachdarain a' dèanamh mar a thogradh iad fhèin anns na làithean sin, 's cha robh dìth cuideachadh orra. Bha seumarlan aig Matheson – 's ann leis-san a bha Eilean Leòdhais aig an àm sin agus a h-uile eilean eile timcheall – cho suarach ri duine a bha a-riamh air an talamh, fear Dòmhnall Morro. ('S e 'Morro' a bh' aca air an àite Munro, no Rothach).

"Thuirt e ri muinntir Bheàrnaraigh gu robh e a' dol a thoirt bhuadhp' a' mhòinteach a bh' aca air tìr-mòr agus dol a thoirt dhaibh pìos mòintich na bu lugha 's na bu thruaighe ann an Iarsiadar. Agus, bha aca ri balla-cloich a thogail seachd mìle a dh'fhad eadar a' mhòinteach 'acasan'

were given out in 1805. But, after that, they were made fallow after 20 years, in 1825."

"Fallow?" said I. I did not quite understand what he meant.

"Well," said Ailig John, "the landlord cleared the people away, when Circeabost was made a part of the estate of Linsiadar. They replaced the people with sheep and the people went to other villages. Some went to other villages in Bernera, some went to Point and some went to Bostadh. These clearances had begun at that time. There was more profit for the landlords from sheep, than from the small amounts they got in rent from the crofters. And they made out that it was a good thing for people to go to other places where they would have (as they pretended) better land and big opportunities.

"The landlords did as they pleased in those days. And they did not lack help! Matheson – he owned Lewis at that time and every other island round about – had a factor who was as despicable as any man that was ever on the earth – one Donald Munro. (They called him 'Morro' rather than Munro or Rothach.)

"He said to the people of Bernera that he was going to take the moor-grazings they had on the mainland of Lewis from them and going to give them a smaller, and poorer area in Iarsiadar. And they had to build a stone wall, seven miles in length, between 'their' moorland and the deer pastures of Morsgail and Scealascro. Although the people were angry,

agus talamh na fèidh aig Morsgail is Scealascro. Ged a bha daoine diombach, cha robh dad ann ach gabhail ris. Sin cho cumhachdach 's a bha na h-uachdarain.

"Thòisich iad a' togail, boireannaich agus clann a' cuideachadh. Ann an ceann dà bhliadhna bha iad gus crìoch a chur air a' bhalla. Chuir iad toiseach seusan an iasgaich air ais airson an oidhirp dheireannach a dhèanamh. 'S ann a thàinig fios an uair sin bho Morro gu feumadh muinntir Bheàrnaraigh a dhol gu mòinteach eile ann an Tacleit a's an eilean fhèin.

"Ach, cha b' e sin a-mhàin. Tha e coltach gun rinn esan inntinn fhèin an-àirde, gun dad a chantainn ri Matheson, gu robh e dol a sgiùrsadh muinntir Bheàrnaraigh às an eilean. Bha e a' dol a chur leth-cheud teaghlach chun na sitig. Chan eil fhios dè a' chiall a bh' ann an sin – a' toirt seachad mòinteach agus a' cur daoine a-mach às an àite aig an aon àm.

"Co-dhiù, chuir e trì oifigearan le pàipearan a dh'innse dè bha dol a thachairt, 's thug iad na pàipearan dha na daoine ann am Brèacleit 's ann an Crothair, 's ann am Bostadh. Tha e coltach gun ghabh na daoine na pàipearan gun dad a ràdh. Bha daoine cho umhail. Ach bha iad air an ciùrradh le cianalas agus bròn.

"Cha deach cùisean cho math leotha ann an Tobson. Cha do chòrd na bha a' tachairt ri Aonghas Thormoid – Aonghas a' Phrìosain mar a bh' aca air às dèidh na thachair. Chaidh e fhèin agus dithis eile, Tormod MacAmhlaigh 's Iain MacLeòid, far an robh am fear a bh' aig ceann a' chùis. Leum Aonghas air, 's thuirt am fear eile nam biodh gunna air a bhith aige gum biodh adhbhar aithreachais aig màthraichean Bheàrnaraigh. Co-dhiù fhuair na h-oifigearan an sàilean às.

there was nothing for it but to get on with it. That was how powerful the landlords were.

"They began to build, with women and children helping. At the end of two years they were nearing the completion of the wall. They even postponed beginning the fishing season to make the final effort. But then, a message came from Morro that the people of Bernera would have to go to another piece of moor at Tacleit, in the island itself.

"But that was not all. It seems that he made his own mind up, without saying anything to Matheson, that he was going to clear the people of Bernera from the island. He was going to put over fifty families out of their homes[10]*. Who knows what sense there was in that – offering moorland and displacing people at the same time.*

"Anyway, he sent three officers with official papers intimating what was going to happen, and they gave the papers to people in Brèacleit, Crothair and Bostadh. It seems that they took the papers without saying anything – people were so obedient – but they were wracked with homesickness and grief.

"Matters did not go so well for them at Tobson. What was happening did not please Aonghas Thormoid – Angus of the Prison, as he was called after all that happened. He and two others, Tormod MacAmhlaigh and Iain MacLeòid, went to see the one at the head of the affair. Angus attacked him – and that man said that if he had had a gun, the mothers of Bernera would have had cause for regret. Anyway, the officers escaped[11]*.*

"Ach nuair a chaidh Aonghas a Steòrnabhagh a dh'iarraidh pàigheadh an iasgaich chuir na poilis ann an grèim e, ach cha b' ann gun strì. Fhuair am bleigeard a mhaoidh air ann an Tobson cothrom gabhail dha le bhrògan. Bha tòrr dhaoine air cruinneachadh. 'S ann an uair sin a chaidh an Riot Act a leughadh, 's thug sin air na daoine sgapadh.

"Ach, 's e am fear a chuir am 'Bernera Riot', mar a th' aca air gus an latha seo fhèin, air chois, Dòmhnall Dòmhnallach – Dan. Bha esan cinnteach nach gabhadh na daoine ri na bha fa-near dhaibh. Ruith e air na taighean ann am Beàrnaraigh 's chuir e fios gu na bailtean timcheall. Chruinnich ceud gu leth duine ann an Gearraidh na h-Aibhne.

"Rinn na seòid air Steòrnabhagh. Nuair a chuala na poilis gu robh iad a' tighinn thug iad aodach glan do Aonghas agus leig iad às e. Chaidh na poilis a b' àirde, 's an Siorraidh, 's a' Fiscal a-mach gu crìochan Steòrnabhaigh a dh'fheuchainn ri toirt orra tilleadh dhachaigh, 's iad a' gealltainn ceartas dhaibh. Ach, cha do chreid Dan iad. Thuirt e nach robh còir no cumhachd aca leithid a rud a ghealltainn 's chùm iad orra. Chaidh iad far an robh Matheson fhèin anns a' Chaisteal. Thuirt esan riutha nach robh cuid no gnothaich aigesan ris an rud a bha Dòmhnall Morro a' dèanamh 's gun cuireadh e cùisean ceart. 'S thug an leadaidh fhèin teatha dhaibh anns an taigh-ghlainne mus do dh'fhalbh iad. Ach, cha do chùm Matheson ri fhacal. Cha do chuir e fios no facal gu na daoine a bha gu bhith air an cur às na dachannan.

'S e an ath rud a thachair gun deach Aonghas 's Tormod 's Iain, an triùir a bha ris a' mhì-rian ann an Tobson, an toirt dhan a' chùirt ann an Steòrnabhagh. Bha làn dhùil aig daoine

"But when Aonghas went to Stornoway to collect payment for fishing, the police arrested him, but not without strife. The blaggard who had threatened him in Tobson got the opportunity to give him a kicking. A lot of people had gathered and it was then that the Riot Act was read, and that made the people disperse.

But the one that set the 'Bernera Riot' – as it is called to this day – afoot, was Dòmhnall Dòmhnallach – 'Dan'. He was certain that the people could not take to what was in store for them. He went from door to door in Bernera and sent messages to the surrounding townships. 150 men gathered at Gearraidh na h-Aibhne.

"The heroes made for Stornoway. When the Police heard that they were coming, they gave clean clothes to Aonghas and let him go. The most senior policemen, the Sheriff and the Fiscal went to the town boundary of Stornoway to try to make them return home, promising them justice. But Dan did not believe them. He said they had no right or power to promise such a thing and the people kept going. They went to where Matheson was himself in the Castle. He told them that he had no part or business in what Morro was doing and that he would put matters right. And the Lady herself gave them tea in the conservatory before they left for home. But Matheson did not keep to his word. He sent no message or word to the people who were to be put out of their homes.

"The next thing that happened was that Aonghas and Tormod and Iain – the three that had been unruly in Tobson

gun deigheadh an cur dhan phrìosan airson sealltainn dè thachradh do dhuine sam bith a bha a' seasamh an aghaidh uachdaran. Ach, bha am fear-lagh aca air leth geur – Teàrlach Innes. Sheall esan anns a' chùirt cho cam, suarach 's a bha Dòmhnall Morro 's cho bochd 's a bha a' chùis a bh' aige an aghaidh an triùir. Fhuair a' chùirt neo-chiontach iad 's bha Morro air a chur às a dhreuchd.

"Co-dhiù feumaidh e bhith gun deach sgeama nan caoraich aig Linsiadar flat. Ann an 1878 fhuair na daoine cothrom tilleadh a Chirceabost. Tha e coltach gun chaith an riasg orra air mòinteach Bhostaidh 's bha na tobhtaichean 's an talamh math ann an seo. Nuair a dh'iarr muinntir Bhostaidh 's Chrodhair barrachd fearann thug an t-uachdaran dhaibh Circeabost.

Man a b' e an Riot chan eil fhios càite am biodh sinn an-diugh," arsa Ailig John. "'S dòcha air falbh air soithichean man na truaghain a dh'fhalbh à Caolas Bheàrnaraigh, dìreach beagan 's fichead bliadhna mus tàinig ar sinnsearan a seo."

"Thàinig do shinn-sheanair, Dubh Cheann, agus mo shinn-sheanair-sa, Alasdair Niall Dròbhair, à Bostadh a 's na h-eathraichean. Bha do shinn-shinn-sheanair-sa, Tormod Mòr, air bàsachadh mus do dh'fhalbh na daoine à Bostadh. Thug iad leotha na maidean-droma 's a h-uile càil a bhiodh feumail airson mullach a chur air na tobhtaichean. Tha mi creidsinn gu feumadh iad tughadh a tharraing cuideachd, bhon bha an t-àite sa air a bhith falamh, bàn bliadhnachan mòr. Sin man a thàinig sinne gu bhith far a bheil sinn," arsa Ailig John, "sibhse aig Number 9, 's sinne aig Number 10."

– were brought before the court in Stornoway. People fully expected that they would be sent to prison to show what would happen to anyone standing against a landlord. But they had an exceptionally sharp Lawyer – Charles Innes. He showed in court how crooked and despicable Morro was, and how weak the case he had against the three was. The court found them Not Guilty and Morro was dismissed from his position.

"Anyway, the Linsiadar sheep scheme must have gone flat. In 1878, the people got the opportunity to return to Circeabost. It seems they had run out of peat on Bostadh moor. And there were house walls and good land here. When the people of Bostadh and Crothair asked for more land, the landlord gave them Circeabost.

"If it had not been for the Riot, there is no knowing where we would be today," said Ailig John. "Maybe we would have gone on ships like the unfortunates who went from the Sound of Bernera just a little over twenty years before we came here.

"Your great-grandfather, Dubh Cheann, and my great-grandfather, Alasdair Niall Dròbhair – came from Bostadh in the boats. Your great-great-grandfather, Tormod Mòr, had died before the people left Bostadh. They brought with them the ridge-beams and everything they needed to put roofs on the house-walls. I believe they would have had to bring thatching materials as well, for this place had been empty and barren for many years. That is how we came to be where we are," said Ailig John, "you at Number 9, and we at Number 10.

Thog m' athair, Tormod Alasdair, taigh a bhos ann an seo, 's dh'fhuirich a bhràthair, Niall Alasdair, shìos aig a' chladach. Thog esan, an uair sin, Taigh a' Chladaich, 's Bùth a' Chladaich shìos aig an Tòb. Sin man a tha dà thaigh air an lot sa."

'S e muinntir Bheàrnaraigh a' chiad daoine a dh' èirich an aghaidh na h-uachdarain 's bha iomadach creach 's mì-rian gu bhith ann air feadh na Gàidhealtachd mus biodh sìth ann agus dìon air na croitean.

"Seo," arsa Ailig John, 's thug e dhomh pac chairtean ùr, leis a' phàipear ghleansach orra gun fhosgladh. "Cha robh dad a dh'fhios agam gu robh gin ùr agam. Lorg mi iad 's mi rannsachadh ann an ciste. 'S dòcha gur ann le Niall Iain, mo bhràthair, a bha iad."

Bha mise air mo dhòigh cho mòr 's ged a bhiodh e air gunna cowboy a thoirt dhomh.

"Man a tha fhios agad, bha cairtean anns na pacaidean cigarettes," thuirt e. "'S bhiodh sinn gan cruinneachadh nar balaich. Aon uair 's gu robh set agad chuireadh tu air falbh iad gu WD & HO Wills (feadhainn an tombac) airson pac chairtean."

Bha mise air 'Patience' ionnsachadh, 's bhiodh iomadach uair a thìde cur-seachad agam anns na cairtean, 's bha iad cho brèagha, gleansach is sleamhainn ach am biodh iad furasta an dèileadh. Bha 'Finest Linen Finish' sgrìobhte air a' phacaid.

* * *

"Oh gu sealladh Sealbh oirnn!" arsa mo mhàthair ri mo sheanmhair, 's i air chrith. "Seall an rud a tha Ailig John air a thoirt do dh'Iain Beag."

My father, Tormod Alasdair, built a house up here, and his brother, Niall Alasdair, stayed down at the shore. He then built the 'House-by-the-Shore' and the 'Shop-by-the-Shore' down at the bay. That is why there are two houses on this croft.

The people of Bernera were the first to rise against the landlords. And many a raid and disorder was going to happen across the Highlands before there was peace, and the crofts secured.

"Here," said Ailig John and he gave me a new pack of cards, with their shiny paper, unopened. "I didn't know I had any new ones. I found this when I was rummaging in a chest. Maybe they belonged to my brother Niall Iain."

I was as greatly pleased as if he had given me a cowboy gun.

"As you know, there were cards in cigarette packets," he said. "And we used to collect them when we were boys. Once you had a set, you could send them off to WD & HO Wills (the tobacco people) for a pack of cards."

I had learned 'Patience' and there would be many an hour's pastime in that pack of cards. And they were so handsome – shiny and slippery so that they would be easy to deal. The packet had 'Finest Linen Finish' written on it.

* * *

"Oh, may Providence look on us!" said my mother to my grandmother. She was shaking. "Look at what Ailig John has given to Iain Beag."

"Oh Chruthaigheir bheannaichte," arsa Granaidh. Chanadh tu oirre gu robh i a' faicinn an Sàtan fhèin air a beulaibh. 'S dòcha gur e sin a bha i a' faicinn. "Chan eil ann an cairtean ach obair an t-Sàtain, feumaidh tu na cairtean a thilleadh gu Ailig John," thuirt i ri mo mhàthair.

Chaidh mi fhìn 's mo mhàthair sìos dhan a' scullery. Cha robh ciall sam bith agam dhe carson a bha na daoine mòra cho troimh-a-chèile 's cha robh e a' còrdadh rium gu robh mi dol a chall na cairtean.

"Dè tha ceàrr air na cairtean?" dh'fhaighnich mi dha mo mhàthair.

"Chuala tu an rud a thuirt Granaidh, chan urrainn cairtean a bhith ann an taigh math."

"Dè mu dheidhinn na cairtean 'Snap' agus 'Happy Families' a tha anns a' Ghames Compendium?" dh'fhaighnich mi.

"Well," arsa mo mhàthair, "feumaidh sinn na cairtean aigesan a thilleadh gu Ailig John."

"Carson? Carson?!" arsa mise.

Dh'aithnich mo mhàthair gu feumadh i oidhirp eile a dhèanamh. "Well," arsa ise, "bhàsaich a h-uile duine ann an teaghlach Ailig John le TB. Bha sianar bhràithrean agus pheathraichean aige, 's bhàsaich a h-uile duine aca. Aon uair 's gun tigeadh a' chaitheamh ort cha robh dad ann a dhèanadh iad ach do chumail air falbh bho dhaoine eile. Bha e cho gabhaltach 's gu robh e a' sgapadh tro phàipearan 's tro aodach no rud sam bith a bh' air a bhith ann an taigh leis a' ghalar. B' àbhaist do dhaoine aig an taigh a bhith a' cur litrichean

"O blessed Creator!" said Granny. You would think that she was seeing Satan himself before her. And maybe that is what she did see. "Cards are only Satan's work. You must give the cards back to Ailig John," she said to my mother.

My mother and I went down into the scullery. I had no understanding of why the grown-ups were so upset. And I did not like the idea that I was going to lose the cards.

"What is wrong with the cards?" I asked my mother.

"You heard what Granny said, a good household can't have cards."

"What about the 'Snap' and 'Happy Families' cards in the Games Compendium?" I asked.

"Well," said my mother, "we need to give his cards back to Ailig John."

"Why? Why?" I asked.

My mother realised that she would have to make another attempt. "Well," she said, "everyone in Ailig John's family died of TB. He had six brothers and sisters and they all died. Once you had TB there was nothing that could be done for you, but to keep you away from other people. It was so infectious that it spread through papers, or clothing, or anything that had been in a house with the illness. People at home (in Lewis) used to send letters and Gazettes and eggs to those who were away, but they did away with it all except the letters, and they had to be sterilised in the oven. Ailig

's Gazettes 's uighean gu daoine a bha muigh, ach bha iad a' cur às dhan a h-uile càil ach na litrichean, 's dh'fheumaiste an sterilaiseadh anns an àmhainn. Bhàsaich bràithrean Ailig John, na truaghain, ann am bothan a chaidh a thogail dhaibh aig ceann an t-seann taigh. Dh'fheumadh daoine cumail air falbh bhon a h-uile duine a bha anns an teaghlach sin. Cha tàinig TB a-riamh dhan an teaghlach againne, 's bha sinn gu math faiceallach nach tigeadh."

"A bheil Ailig John dol a bhàsachadh a-rèist?" arsa mise, 's na bha mi a' cluinntinn duilich dhomh a chreids.

"Oh bha esan tinn, tinn na àm fhèin. Theab e bàsachadh, 's dh'fhalbh a h-uile bileag fuilt às. Ach fhuair e na b' fheàrr, 's thill làn a chinn de dh'fhalt bruiseach, ruadh."

* * *

Dh'fheuch mi ri cumail ris an rud a thuirt mo mhàthair rium a chantainn, "Cha leig Granaidh leam cairtean a bhith agam idir," arsa mise.

"Oh seadh," arsa esan. "Cha bhi iad airson 's gun toireadh tu dad às an taigh sa."

Thug sin orm innse dhàsan beagan dha na dh'inns mo mhàthair dhòmhsa.

"Oh," arsa Ailig John, "bu chòir do dh'eagal a bhith air daoine ron a' chaitheamh, ach 's e flu mòr ann an 1919 a thug air falbh mo phiuthar Seònaid, 's mo bhràthair Ailig John, 's iad sia 's a seachd. 'S e mise an dàrna Ailig John. Ach 's e a' chaitheamh a thug bàs do mo bhràithrean Alasdair 's Niall Iain.

John's brothers, the wretches, died in a bothy that had been built for them at the end of the old house. And people had to stay away from everyone from that family. TB never came into our family – and we were very careful that it wouldn't."

"Is Ailig John going to die, then?" I asked. What I was hearing was difficult for me to believe.

"Oh, he was very, very sick at one time. He nearly died and he lost every wisp of hair. But he got better and a full head of bushy russet-brown hair came back."

* * *

I tried to keep to what my mother told me to say, "Granny will not let me have cards at all," I said.

"O yes," he said. "They'll not want you to take anything from this house."

That made me tell him some of what my mother told me.

"Oh," said Ailig John, "people have every reason to be afraid of tuberculosis. But it was the big flu in 1919 that took away my sister Seònaid and my brother Ailig John, they were six and seven. I am the second Ailig John. But it certainly was TB that caused the death of my brothers Alasdair and Niall Iain.

"Ach, tha a' chaitheamh air falbh an-diugh, 's ann anns an t-seann taigh a bha sinn an uair sin. Cha robh a' chaitheamh a-riamh anns an taigh seo. Tha cure ann a-nis 's tha an galar gabhaltach a bh' ann air falbh."

Chuir mise na cairtean air ais na mo phòcaid 's bha iad agam iomadach bliadhna gun a dh'fhàs iad robach 's chaill mi tè no dhà 's thilg mi an còrr. Caithidh cairtean, 's càirdeas, 's ceangal, 's an cianalas 's aig a cheann thall, fiù 's a' chuimhne fhèin.

"But TB has gone today and we were in the old house then. TB was never in this house. There is a cure now and the infectious disease that there was is gone."

I put the cards back in my pocket and I had them for many years, until they became scruffy, and I lost one or two, and I threw away the rest. Cards wear away, and friendship, and ties, and nostalgia, and, in the end, even memory itself.

A' Chaitheamh - notaichean

4. Faic Nota-deiridh v

6. Faic Nota-deiridh ix

The Wasting (Tuberculosis) - footnotes

1. *Lit: 'stand on the floor'*
2. *Lit: 'bless the day'*
3. *Lit: 'departed'*
5. *See Endnote vi*
7. *See Endnote x*
8. *Lit: 'above it'*
9. *Lit: 'its own dangers come in step of/with that'*
10. *Lit: 'to the dungheap'*
11. *Lit: got their heels out of it*

8 - Criosamus

"Dè cho fada 's a tha e gu Criosamus?" dh'fhaighnich mi dha mo mhàthair.

"Oh, tha co-dhiù ceithir mìle," arsa ise.

Cha do chòrd e rium gur ann a' tarraing asam a bha i. "Huh!" arsa mise.

"Oh, tha còrr air mìos ann fhathast. Tha an t-seachdain sa, 's an tè às dèidh sin, 's an tè às dèidh sin, 's an tè às dèidh sin, 's an uair sin bidh Criosamus ann.

Bha a h-uile càil a bh' ann ga mo chur troimh-a-chèile. Bha catalogue làn toys is a' stuth aig Criosamus air a thighinn bho Gamages. Ach, cho fada 's a chithinn-sa cha robh Criosamus dol a thighinn ann am bith. Bha an tìde fhèin air stad. Bha an sgoil cho dòrainneach ris an eaglais, 's cha robh guth ann an àite seach àite air Criosamus. Cha robh mise a' tuigsinn dè bu choireach nach robh daoine a' dol droil a' feitheamh.

* * *

8 - Christmas

"How long is it to Christmas?" I asked my mother.

"Oh, at least four miles," she said.

I did not like that she was teasing me. "Huh!" I said.

"Oh, there's more than a month to go yet – this week and the one after that and the one after that and the one after that, and then it'll be Christmas."

The whole affair was getting me all mixed up. A catalogue full of toys and Christmas goods had come in from Gamages. But as far as I could see, Christmas was never going to come. Time itself had stopped. School was as boring as church – and there was no word in either place of Christmas. I couldn't understand why people were not going dotty waiting.

* * *

"'S ann aig àm Criosamus a thàinig Crìosd dhan an t-saoghal," thuirt Granaidh. Bha mise na mo laighe air a cùlaibh anns an leabaidh. Cha chuireadh duine sam bith eile an-àirde leam aig an àm ud. Bha e tràth 's cha robh càch air dùsgadh. Bha Antaidh Cairistìona anns an leabaidh eile 's a h-anail a' dèanamh an aon fhuaim ri srann cat air a dòigh. Bha a' chuing oirre ach cha robh i dona an uair sin.

"'S thug na trì Daoine Glic prèasantan do Chrìosd, 's tha sinne toirt prèasantan do chlann an-diugh airson cuimhneachadh air a' rud mhìorbhaileach a thachair ann an sin."

A-nise, bha rudeigin ceart agam mu Chriosamus!

"Dè," arsa mise, "a thug na Daoine Glic do Chrìosd?" Bha làn fhios agam 's mi air a chluinntinn cho tric.

"Uill," arsa Granaidh, "tha am Bìoball a' cantainn gur e òr, 's tùis, 's mirr a thug iad dha."

Bha fhios agam dè bh' ann an òr, "Dè tha ann an tùis agus mirr?" dh'fhaighnich mi.

"Oh, tha stuthan ach am biodh fàileadh brèagha anns an stàball."

Bha sin a' dèanamh ciall. Gu cinnteach cha b' e fàileadh math a bh' anns an t-seann stàball againne, gu h-àraid nuair a mharbhadh iad caora.

Cha robh còir aig duine dad a chantainn mu fhacal Dhè, ach dè feum a bha anns na rudan sin? Dè nan tugadh Santa dhomh saighdear beag òr agus dà bhotal seant? Cha robh mise ag iarraidh ach toys.

* * *

"It was at Christmas time that Christ came into the world," said Granny. I was lying behind her in bed. No one else would put up with me at that time. It was early and the others had not awakened. Aunty Christina was in the other bed and her breathing sounded like a contented cat purring. She had asthma, although she was not bad then.

"And the Three Wise Men gave Christ presents and we give presents to children nowadays in remembrance of the marvellous thing that happened there."

Aha! Now I had some proper information about Christmas!

"What," I said, "did the Wise Men give to Christ?" I knew full well – I had heard it so often.

"Well," said Granny, "the Bible says that it was gold, frankincense and myrrh that they gave him."

I knew what gold was. "What are frankincense and myrrh?" I asked.

"O they were things to make a lovely smell in the stable."

That made sense – there was certainly not a good smell in our old stable, especially when they slaughtered a sheep.

People aren't meant to question the word of God, but what use were these things? What if Santa gave me a small gold soldier and two bottles of scent? All I wanted was toys.

* * *

"Dè tha Santa Claus dol a thoirt thugam?" dh'fhaighnich mi dha mo mhàthair. Bha fios agam deamhnaidh math nach innseadh i dhomh, ach cha robh a' chòrr air m' aire.

"Mun a' rògais, 's ubhal a' bhìogais," arsa ise, 's i a' gàireachdainn. "A bheil fhios agad dè bha sinne a' faighinn? Bha, ubhal 's orainsear ann an stocainn 's bha sinne a' saoilsinn an t-saoghail dhan an sin."

Bha mise eòlach air mo mhàthair a' cur sìos air cuid a rudan, 's a' moladh rudan eile an aghaidh an rud a bha mise a' smaoineachadh.

"Nach d' fhuair sibh doile cuideachd?" Bha i air innse dhomh mun doile.

"Oh, fhuair. Bha i dubh, doile dhubh. Dh'innis an tidsear dhuinn man a' chlann ann an Africa le cracann dubh. Bhiodh sinn a' cur miseanaraidhean 's airgead chun na daoine bochd ann an Africa. 'S ann coltach ri tè dhe na truaghain sin a bha i. Chòrd i rium 's cha do leig mi às mo shealladh i gus na thuit i às a chèile."

Bha fhios agam fhìn gu faodadh daoine rudan fhaighinn aig Criosamus nach robh iad ag iarraidh, ach 's e sin pàirt de mhìorbhail Criosamus fhèin.

* * *

Bha Santa Claus gus mo chur tuathal. Dè seòrsa duine a thigeadh a-nuas an t-similear le toys? Bha mise air sùil a thoirt suas an t-similear 's bha e fada ro chumhang.

"Oh, 's e duine iongantach a th' ann an Santa Claus," thuirt Ailig John. "Chunnaic mise e aig tuath[3] le Sou' wester

"What is Santa Claus going to bring me?" I asked my mother. I knew very[1] well that she wouldn't tell me, but there was nothing else on my mind.

"Mun a' rògais is ubhal a' bhìocais[2]," she said, and laughed. "Do you know what we used to get? An apple and an orange in a stocking, and we thought the world of that."

I was used to my mother criticising some things and praising other things, against what I thought.

"Didn't you get a doll as well?" She had told me about the doll.

"Oh yes. She was black, a black doll. The teacher told us about the children in Africa with black skins. We used to send missionaries and money to the poor people in Africa. She was like one of these unfortunates. I liked her and I didn't let her out of my sight until she fell apart."

I knew myself that people might get things they didn't want at Christmas, but that is part of the wonder of Christmas itself.

* * *

Santa Claus was nearly making me giddy. What sort of a man would come down the chimney with toys? I had looked up the chimney and it was far too narrow.

"Oh, Santa Claus is a wonderful man," said Ailig John. "I saw him in the north[4], wearing a red Sou'wester and a

dhearg air, 's feusag mhòr gheal. Nuair a dh'fhaighnich mi càite an robh e a' dol, cha tuirt e facal.

"Nuair a bha mise na mo bhalach, 's e chanadh mo mhàthair ach, 'na biodh dragh agadsa mu Chriosamus. Cuimhnich air na thachair air a' bhliadhna a dh'fhalbh,' agus 's e sin a dhèanainn."

"Dè mu dheidhinn a' bhanais?" arsa mise. Bheireadh a' bhanais m' aire bho Chriosamus.

"Oh, cha b' ann an-uiridh no a' bhèan-uiridh a bha sin," thuirt Ailig John, 's rinn e drèin ach bha e a' còrdadh ri Seònaid.

Cha robh agamsa ach fiar chuimhne air a' bhanais, ach bha mi airson cluinntinn ma deidhinn a-rithist. 'S e bha air a chur na mo chuimhne dealbh a bha mo mhàthair air a shealltainn dhomh 's i rannsachadh ann an drathair.

"Bha thusa a' falach air cùl a' chèic," thuirt mi ri Ailig John. Tha mi cinnteach nach do chòrd mòran man a' bhanais ri Ailig John. 'S e duine socharach a bh' ann. 'S e sin a thuirt mo mhàthair 's i coimhead ris an dearbh dhealbh le Ailig John air cùl a' chèic.

"Bha mi fhìn 's mo phiuthar Baba a' suirighe aig an aon àm," thuirt Seònaid. "'S ann a shaoil sinn gum bu chòir dhuinn banais dhùbailte a dhèanamh 's a' bhanais-taighe againn thall anns an taigh againne ann an Iarsiadar.

"Thug sinn seachdainean a' glanadh 's a' sgioblachadh airson a' bhàthach a chur ann an òrdugh. 'S an uair sin am biadh! Bha daoine cho math air cuideachadh – cearcan,

big white beard. When I asked him where he was going, he didn't say a word.

"When I was a boy, my mother would only say, 'Don't you care about Christmas. Remember what happened in the year that has gone,' and that's what I would do."

"What about the wedding?" I said. The wedding would take my mind off Christmas.

"O, that wasn't last year, or the one before that," said Ailig John and he pulled a face, but Seònaid was liking it.

I only had a vague memory of the wedding but I wanted to hear about it again. What had reminded me of it was a picture that my mother had shown me when she was rummaging in a drawer.

You were hiding behind the cake," I said to Ailig John. I'm sure that he enjoyed very little about the wedding – he was a bashful man. That's what my mother said when she was looking at that very picture of Ailig John peering out from behind the cake.

"My sister Baba and I were courting at the same time," said Seònaid. "And we thought that we should have a double wedding, with the house-wedding at our house in Iarsiadar.

"We spent a week cleaning and tidying to put the byre in order. And then the food! People were so good at helping – chickens, two sheep, and soup, and trifle and

’s dà chaora, ’s brot, ’s traidhfail, ’s soithichean, ’s cutlery, ’s sèithrichean. ’S ann a bha an t-àite mar camp airm le daoine a’ falbh ’s a’ tighinn ’s a’ dèanamh an dìchill airson gum biodh a h-uile dad cho math ’s a ghabhadh.

’S thàinig latha a’ phòsaidh, sinne le ar aodach pòsaidh a’ dol a-null air caolas Bheàrnaraigh ann an geòla Sheonaidh a’ Mhorghain – mi fhìn, ’s tu fhèin, ’s Baba ’s Bill Scott. ’S e sinne na pòsaidhean bho dheireadh a bh’ ann mus tàinig an drochaid. ’S e engineer aig an drochaid a bh’ ann am Bill. Sin man a thàinig e an seo ’s man a choinnich e ri Baba.

“Oh, ’s bha am biadh math dha-rìribh, ’s na speechaichean ’s na telegrams cho comic. ’S an uair sin chaidh na bùird a chur gu aon taobh ’s bha dannsa an t-sabhail againn, a’ chlann-nighean ’s feadhainn dhe na boireannaich a’ cumail an rud a’ dol, a’ toirt air na fireannaich èirigh.

“Bhiodh sinn ag ionnsachadh beagan dannsa anns an sgoil, ’s habair gu robh na h-Eightsome Reels, ’s na Dashing White Sergeants a’ dol man faing[5]. Sin man a chaidh a’ bhanais againne.”

“Oh,” arsa Ailig John, “latha nach dìochuimhnich mi ann am bith!” ’S rinn e gàire ’s dhùin e a shùilean, ’s chrath e a cheann.

* * *

Slaodach ’s gu robh i, chaidh an tìde seachad ge b’ oil leatha, ’s cha robh ach seachdain gu Criosamus. ’S an uair sin thachair rud nach dìochuimhnich mi cho fada ’s a ghleidheas mi mo chuimhne: ’s ann a theab nach tàinig Criosamus dhan an taigh againne idir.

plates and cutlery and chairs. The place was like an army camp, with people coming and going, doing their best to make everything as good as possible.

"And then, the wedding-day came, we in our wedding clothes, crossing the Bernera Narrows in Seonaidh a' Mhorghain's rowing-boat: me and you and Baba and Bill Scott. Ours were the last weddings before the bridge was built. Bill was an engineer at the bridge – that was how he came here and how he met Baba.

"Oh, the food was very good – and the speeches and telegrams were so funny. And then the tables were put to one side and we had a barn-dance, the girls, and some of the women, keeping things going, making the men get up.

"We used to learn a little dancing in school and you could say the Eightsome Reels and the Dashing White Sergeants were going like a fank[6]*. And that was how our wedding went."*

"Oh," said Ailig John, "a day I will never forget." And he smiled, closed his eyes and shook his head.

* * *

Slow as it was, time passed despite itself and there was only a week to go until Christmas. And then, something happened that I will remember as long as I keep my memory: it nearly happened that Christmas didn't come to our house at all.

Oidhche ghreannach, fhrasach ann, bha i a' sèideadh bhon ear ("Oh, droch àrd," arsa m' athair) a' tighinn le uspag an-dràsta 's a-rithist a bha dèanamh fuaim àraid anns an t-similear. Bha sinne blàth, seasgair anns an living-room. Bha an sgoil air sgaoileadh, 's cha robh agam ach feitheamh.

Bha m' athair na shuidhe anns an living-room, a' leughadh an Reader's Digest, aon Tilley[7] ri thaobh 's an tèile air bòrd a' wireless. M' Antaidh Cairistìona ma choinneamh a' coimhead dhan an teine 's mo sheanmhair air a' chouch ag ochanaich 's ag obhnanaich rithe fhèin 's i a' smaoineachadh air na bha air falbh 's air an t-Sìorraidheachd – 's e sin a thuirt i rium co-dhiù nuair a dh'fhaighnich mi dhith an robh càil ceàrr aon latha 's i ag ochanaich barrachd na b' àbhaist dhi.

Bha mise na mo laighe air cùl a' chouch a' feuchainn ri leabhar 'Oliver Twist' a leughadh. Bha e air a chur mar comic 's bha e furasta a leantainn. Ach, bha mi air a leughadh ro thric, cha robh e toirt m' inntinn bho Chriosamus.

Bha mo mhàthair 's Antaidh Chris anns a' scullery, 's bha mise dìreach dol a dh'èirigh a dh'fhaicinn am faighinn siùcar bho mo mhàthair no Antaidh Chris nuair a dh'fhosgail an doras a-muigh, 's dh'fhosgail an uspag gaoith a thàinig a-steach an doras a-staigh eadar a' scullery 's an living-room 's cò bh' ann an sin ach Coinneach Dochart.

"A dhaoine," arsa esan, "cha chreid mi nach eil an similear agaibh air a dhol na theine."

A lowering, showery night, the wind blowing from the west, ("Oh, a bad airt," said my father) coming in gusts now and again that made a strange noise in the chimney. We were warm and comfortable in the living-room. School was out and all I had to do was wait.

My father was sitting in the living-room, reading the Reader's Digest, one Tilley[8] *lamp beside him, with the other one on the wireless-table, my Aunty Cairistìona opposite, gazing into the fire and my grandmother on the couch, making small complaining sounds to herself, remembering all who had gone and thinking of Eternity – that's what she told me, anyway, when I asked her if anything was wrong, one day when she had been making more noises than usual.*

I was lying behind the couch, trying to read 'Oliver Twist'. It was in comic form and easy to follow. But I had read it too often and it was not taking my mind off Christmas.

My mother and Aunty Chris were in the scullery and I was just about to get up to see if I could get a sweet from my mother or Aunty Chris, when the outside door opened and the gust of wind that came in opened the inner door between the scullery and the living-room – and who was there but Coinneach Dochart.

"People," he said, "I think your chimney has gone on fire!"

Ruith mo mhàthair, 's m' athair, 's Antaidh Chris a-mach an doras 's cha robh aca ach coimhead suas 's chunnaic iad an ceò dùmhail 's na sradagan a' falbh an ìre mhath còmhnard chun ear às an t-similear.

Rinn mo mhàthair a-steach 's rug i air peile 's ghabh i a-steach dhan a' living-room.

"Oh, Chruthaigheir bheannaichte," thuirt i ri Granaidh 's Antaidh Cairistìona, "tha an similear na theine."

Thòisich i a' feuchainn ris a' mhòine a thoirt às a' ghrate 's i a' cur na fàdan dhan a' pheile.

Thàinig Antaidh Chris le peile bùrn 's rinn sin feum. 'S ann as iongantach nach do loisg mo mhàthair i fhèin 's na fàdan dearg theth. Bhàth Antaidh Chris na h-èibhleanan anns a' ghrate cuideachd.

Bha Antaidh Chris a' rànail leis an eagal 's mo mhàthair air chrith.

"Oh, Chruthaigheir, dè tha air a thighinn oirnn?" arsa Granaidh. Dh'aithnich mi oirre gu robh i ag ùrnaigh fo h-anail. Thug m' athair oirre èirigh, 's ghluais e an couch air falbh bhon teine. Shuidh i fhèin 's Antaidh Cairistìona a' coimhead an ùpraid.

Thàinig an uair sin Ailig John a-steach. Bha e air a bhith a-muigh aig a' bhàthach nuair a dh'fhairich e fàileadh an t-sùith. Cha robh dad ceàrr air an taigh aigesan, ach cha robh aige ach dhà no thrì cheumannan a thoirt gu faca e an similear againne a' cur a-mach na sradagan.

"Oh, gu sealladh Sealbh oirnn!" arsa esan 's e cur a làmh air a V-lining os cionn an teine faisg air àrd a' bhalla. "Tha teas uabhasach ann an seo."

My mother and my father and Aunty Chris ran out of the door. All they had to do was look upward to see the dense smoke and sparks flying more or less straight to the East from the chimney.

My mother rushed inside and grabbed a pail, and she went into the living-room.

"O, Blessed Creator!" she said to Granny and Great Aunt Cairistìona, "the chimney is on fire!"

She began to try to empty the peats from the grate, putting them in the pail.

Aunty Chris came with a pail of water and that was useful. It was a wonder that my mother hadn't burnt herself, the peats were red hot. Aunty Chris drowned the embers in the grate as well.

Aunty Chris was crying with fright and my mother was shaking.

"O, Creator, what has befallen us?" said Granny. I could tell she was praying under her breath. My father made her get up and he moved the couch away from the fire. She and Aunty Cairistìona sat watching the uproar.

Ailig John came in then. He had been out at the byre when he sensed the smell of soot. There was nothing amiss with his own house, but all he had to do was take two or three steps before he saw our chimney spewing sparks.

"Oh may Fortune look upon us!" he said, putting his hand on the V-lining above the fire, near the top of the wall. "There is a terrible heat here!"

Thòisich e fhèin agus m' athair a' feuchainn an robh teas air sgapadh bhon an lìnigeadh a' sealltainn gu robh an teine air falbh a's a' bhalla.

Bha an srann a bh' aig an teine anns an t-similear cho mòr 's gum b' fheudar dhaibh a bhith ag èigheachd ri chèile, 's bha 'blow down' air tòiseachadh 's cnapan sùith a' tuiteam dhan a' ghrate. Bha mo mhàthair gan cur a-mach an doras cho luath 's a b' urrainn dhi anns a' pheile 's an ceò 's am fàileadh a' fàs na bu dhùmhail.

"Oh, Shiorraidh bheannaichte!" arsa Ailig John "'S dòcha gun caill sibh an taigh anns a' ghèile a th' ann a-nochd." Bha e a' faireachdainn teas pìos a-null bhon an teine 's bha eagal air gu robh an lìnigeadh a' dol na theine.

Dh'fhalbh m' athair agus rug e air tiùrr phocannan far am biodh Queen na laighe aig an doras cùil. Bha ise na seasamh, a cluasan an-àirde a' coimhead ri doras an living-room mar gum biodh i a' feitheamh caoraich. Bhog m' athair dà phoc ann am peile bùrn a bha fon an t-sionc.

"Seo," arsa esan ri Ailig John, "feuch am mùch sin an teine." Thuig Ailig John na bh' aige 's chuir iad na pocannan thairis air a' fireplace. Bha an draft a bha ag èirigh dhan an t-similear cho làidir 's gu robh e duilich dhaibh na pocannan a chumail nan àite – iad air an glùinean a' cumail ceann shìos na pocannan 's an làmhan an ceann shuas.

Cho luath 's a bha na pocannan nan àite, shocraich fuaim an t-simileir.

"A Mhargaret, thoir thugainn poca fliuch eile," thuirt m' athair. Chuir iad sin an sàs air muin na pocannan eile.

He and my father began to feel the wall to see if heat had spread under the lining, showing that the fire had travelled in the wall.

The snore of the fire in the chimney was so loud that people had to shout to each other, and a 'blow-down' had begun, lumps of soot falling into the grate. My mother was putting them out the door as quickly as she could in the pail, and the smoke and the smell were getting denser.

"O, blessed Eternity!" said Ailig John. "You might lose the house in this gale tonight!" He could feel heat some way over from the fireplace and he was afraid that the lining had caught fire.

My father went and grabbed a pile of bags from where Queen would lie at the back door. She was standing, her ears raised, staring at the door to the living-room as if she was waiting for sheep. My father soaked two bags in a pail of water that was under the sink.

"Here!" he said to Ailig John. "Let's try to stifle the fire." Ailig John understood what he was at and they placed the bags over the fireplace. The draught that was going up the chimney was so strong that they had difficulty in keeping the bags in place, with their knees securing the bottom part of the bags and their hands securing the upper parts.

As soon as the bags were in place, the noise from the chimney lessened.

"Margaret, bring us another wet bag," my father said, and they put that one in place on top of the other bags.

Dh'fhuirich iad far an robh iad airson ùine nan cian man gum biodh iad ag ùrnaigh.

An ceann greis 's e a' ghaoth a-muigh a bha sinn a' cluinntinn. Bha Coinneach Dochart air a dhol a-mach 's thill e.

"Tha mi smaoineachadh gu bheil an teine air a dhol às," thuirt e. "Chan eil dad a' tighinn às an t-similear."

Dh'fhalbh mo mhàthair chun an stòbha anns an scullery, 's chuir i an coire gu goil.

"Oh, Shiorraidh!" arsa ise, "An dùil an dùraig dhuinn teine eile a thogail, mus bi sinn air ar ragadh."

"Well," arsa Coinneach Dochart, "cha chreid mi nach eil an 'All Clear' agaibh gu cinnteach."

"'S e th' agaibh a-nis ach similear air a ghlanadh nas fheàrr na ghlanadh sguabadh e ann am bith," thuirt Ailig John. "Dè a' chòrr a dh'iarraidh tu aig àm Criosamus?" 's thug e sùil ormsa le gàire air aodann.

Thionndaidh mo mhàthair riumsa, "Falbh suas dhan an rùm ud shuas, 's innis dha Antaidh Chris gu bheil an teine air a dhol às. Tha ise aig 'high doh'. " 'S rinn mi sin. "Oh, Chruthaigheir nach math sin!" thuirt Antaidh Chris.

Nuair a thill sinn dhan an living-room bha mo mhàthair air teine a chur air 's air glanadh timcheall a' fireplace. Mana b' e fàileadh an t-sùith cha mhòr gun aithnicheadh tu gu robh dad air tachairt. Bha iad air teatha a ghabhail 's bha Coinneach Dochart 's Ailig John air èirigh airson falbh.

They remained where they were for a long time, as if they were praying.

After a while, it was the wind outside that we were hearing. Coinneach Dochart had gone outside and he came back.

"I think the fire has gone out," he said. "There is nothing coming out of the chimney."

My mother went to the stove in the scullery and put on a kettle to boil.

"O Eternity!" she said. "I wonder if we dare make up another fire before we are frozen[9]?"

"Well," said Coinneach Dochart, "I believe you definitely have the 'All Clear.'"

"What you now have is a chimney that has been cleaned better than brushing ever could," said Ailig John. "What more could you ask for at Christmas time?" And he looked at me with a smile on his face.

My mother turned to me, "You go up into the room up there and tell Aunty Chris that the fire has gone out. She's at 'high doh'. " And I did as she asked. "O Creator! That's good," said Aunty Chris.

When we returned to the living-room, my mother had lit a fire and cleaned around the fireplace. Had it not been for the smell of soot, you would hardly know that anything had happened. They had taken tea and Coinneach Dochart and Ailig John had risen to go.

"Uill, tha mi ag ràdh riut," arsa Ailig John, "bha sibh dìreach lucky!"

'S thuirt Coinneach Dochart, "Oh, tha cunnart anns na similearan[10]. Tha iad cheart cho cunnartach ris an tughadh fhèin."

Tha mi cinnteach nach robh daoine a-riamh air aghaidh na talmhainn cho taingeil rinne. 'S iomadh trup a chuala Dia cho taingeil 's a bha sinn!

* * *

Bha a h-uile càil a bh' ann cho fancy. Na Criosamus carols:

"Away in a Manger, no creep for a bed,"

"Good King Wensas last looked out on the fist of Stephen." Dè a' chiall a bha ann an sin? 'S dè feum a bha ann an stocainn? Cha b' urrainn dha Santa dad feumail a chur ann an stocainn...

"'S e a-màireach Latha Criosamus," thuirt mo mhàthair. Bha làn fhios agamsa dè latha a bh' ann.

Cha robh sinn ach air èirigh bho air diathad, "Am faod mi mo stocainnean a chrochadh?" dh'fhaighnich mi.

"Nach eil cuimhne agad nach mòr nach deach do stocainnean nan teine an-uiridh nuair a chroch thu iad ro thràth? Feumaidh tu fuireach gus an tèid an teine sìos aig àm na leap. Ach faodaidh tu stocainnean a thoirt a-nuas, 's bheir leat dà bhriogais cuideachd."

Dà bhriogais! Chòrd sin rium. Ghabhadh briogais rudan fada na b' fheumail na stocainn.

"Well, I'm telling you," said Ailig John, "you were very lucky!"

And Coinneach Dochart said: "Oh, chimneys are dangerous[11]. They are just as dangerous as the thatch itself."

I am certain that there were never people on the face of the Earth as thankful as we were. And many a time God heard how thankful we were!

* * *

Everything about Christmas was so odd. The Christmas Carols:

"Away in a manger no creep for a bed,"

"Good King Wensas last looked out on the fist of Stephen." What sense did that make? And what use was a stocking? Santa could put nothing useful in a stocking...

"Tomorrow is Christmas Day," said my mother. I full well knew what day it was.

We had just risen from dinner, "Can I hang my stockings?" I asked.

"Don't you remember that your stockings almost caught fire last year, when you hung them too early? You must wait until the fire has gone down at bedtime. But you can bring some down, and bring two pairs of trousers too."

Two pairs of trousers – I liked that! Trousers can accommodate much more useful things than stockings.

Bha a h-uile duine air a dhol suas ach mi fhìn agus Antaidh Chris. Chroch mi mo stocainnean air an t-sreang bheag air am biodh mo mhàthair a' tiormachadh stocainnean 's drathairsean, 's dh'fhàg mi an dà bhriogais air beulaibh an teine.

Ma chaidil mi 's ann gun fhiost dhomh. Chuala mi an doras a-muigh a' fosgladh, 's thàinig leth-smuain thugam gur e Santa a thàinig a-steach – cha tigeadh duine ciallach sam bith sìos similear 's cinnteach. Shaoil mi gun cuala mi cuideigin a' sgrìobadh truinnsear agus mialaich bheag àraid. An ceann greis chuala mi rudeigin eile, 's dh'aithnich mi ceum mo mhàthar. Leum mi às a' leabaidh agus dh'fhosgail mo mhàthair doras a' rùm,

"Thugainn!" arsa ise, 's dh'fhalbh sinn sìos.

Bha tiùrr aig a' fireplace dhen a h-uile seòrsa rud. Stad mi anns an doras a' feuchainn ri na bha mi a' faicinn a ghabhail a-steach, agus bha an sgona agus an curran a bha sinn air fhàgail airson Santa Claus agus na fèidh aige letheach air an ith!

Dè bh' agam? Bha siùcairean, 's 'selection boxes', 's bàraichean teoclaid. 'S rudan beag gun mòran feum anns na stocainnean man ubhal, 's orainsear, 's mouth organ, 's siùcairean beaga.

Ach bha rudan mòr ann cuideachd – geamannan, 's chemistry set, 's magic set, 's clarinet dhubh. Ach os cionn a h-uile dad eile, ged a bha gu leòr ann an sin fhèin, bha cowboy suit ùr ann. Bha an t-seann tè agam a' tòiseachadh a' tuiteam às a chèile, 's bha an tè ùr fada na b' fheàrr. Agus ad dhubh cowboy na cois.

Everyone had gone up except Aunty Chris and me. I hung my stockings on a small line my mother used for drying stockings and knickers, and I left the trousers in front of the fire.

If I slept, I was not aware of it. I heard the outside door opening and I half thought that Santa had come in – no sane person would come down a chimney, surely. I thought I heard someone scrape a plate and a small, strange bleat. After a while, I heard something else and I recognised my mother's footfall. I jumped out of bed and my mother opened the door of the room.

"Come on!" she said, and off we went downstairs.

There was a pile at the fireplace of every kind of thing. I stopped at the door, trying to take in all that I saw, and the scone and the carrot we had left for Santa Claus and his deer were half-eaten!

What did I have? Sweets and 'selection boxes' and bars of chocolate. And small things of little use in the stockings – such as an orange and a mouth organ and little sweets.

But there were big things too! Games, and a chemistry set, and a magic set, and a black clarinet. But, above all else, although that was plenty in itself, a new cowboy suit. My old one had begun to fall apart and this one was much better. And a black cowboy hat along with it.

Bha a h-uile duine anns a' living-room a' dèanamh toileachas ris an toileachas agamsa, 's chùm mise orm a' fosgladh, 's a' feuchainn.

Ghabh sinn na leabhraichean 's thàinig àm na diathad. Bha diathad Latha Criosamus man diathad Latha na Sàbaid, ach le beagan a bharrachd air a chur rithe. Bha brot cearc, 's brot caora ann, 's feòil de gach seòrsa. Bha buntàta slàn, 's buntàta pronn ann, 's curran, 's càl, 's snèip, 's gravy, 's stuffing. (Bha gràin an t-Sàtain agam air stuffing.) Bha rice pudding ann agus Criosamus pudding (an àite duff) a bha Antaidh Ann air a chur dhachaigh. A ghia!

Dh'fheumaiste altachadh ceart a dhèanamh aig toiseach 's crìoch a' chùis, 's mus robh sinn deiseil cha b' urrainn fiù 's Antaidh Chris fhèin teatha is cèic a ghabhail (agus 's e Dundee cake às a' Cho-op a bh' innte!)

Thug mo mhàthair orm an cowboy suit ùr a chur dhìom, mus deigheadh a milleadh aig a' bhòrd. Ged nach do chòrd sin rium, bha fios agam fhìn gu robh i ceart, 's bha gu leòr eile air mo bheulaibh airson mo chumail air mo dhòigh co-dhiù.

Às dèidh na diathad bha a h-uile duine an ìre mhath flat, cadalach. Chaidh iad a-steach dhan an living-room, m' athair a' leughadh 's càch a' dèanamh norrag gun fhiost.

Chuir mise orm an cowboy suit, 's holster leis a' ghunna a bh' agam, 's thug mi leam an Games Compendium 's an clarinet. Cha robh coltas sam bith Criosamus air an latha, "aimsir mhìorbhaileach," thuirt mo mhàthair. Mìorbhaileach gu dearbh an taca ris an dearg ghèile a bh' ann air oidhche teine an t-simileir.

Everyone had gathered in the living-room, gaining pleasure from my pleasure. And I kept on unwrapping and trying out.

The Bible was read and dinner time came. Christmas dinner on Christmas Day was similar to Sunday dinner but with a little more added. There was chicken broth and mutton broth, meats of each sort. There were whole potatoes and mashed potatoes, and carrots and cabbage and turnip and gravy and stuffing (I hated stuffing like the Devil.) There was rice pudding and Christmas Pudding (in place of duff) that Aunty Ann had sent home. Yuk!

Proper graces had to be said at the beginning and the end of the affair. And before we had finished, not even Aunty Chris herself could take tea and cake (and it was a Dundee Cake from the Co-op!)

My mother made me take off my new cowboy suit in case it was spoiled at the table. Although I did not like that, I knew myself she was right, and I had plenty else before me to keep me content anyway.

After dinner, everyone was pretty much flat and sleepy. They went into the living-room, my father to read and the rest to doze secretly.

I put on the cowboy suit and the holster with the gun I already had and I took with me the Games Compendium and the clarinet. The day had no semblance of Christmas about it: "marvellous weather!" said my mother. Marvellous indeed, when compared to the severe gale we had on the night of the chimney fire.

Dh'fhalbh mi mach an geata aig ceann an taighe, suas mun an stàball 's a-mach gun robh an taigh às m' fhianais, anns a' Ghleann Bheag. Shuidh mi air creag 's thug mi sùil mun cuairt.

Chuir mi an clarinet gu mo bheul, 's shèid mi innte. Rinn i fuaim ìosal, cianail, 's dh'fhairich mi gath an aonaranachd, 's thàinig deòir gu mo shùilean.

Thug mi sùil eile mun cuairt. Dh'aithnich mi gum bu chòir dhomh bhith toilichte le na bh' agam – seall na fhuair mi an-diugh fhèin – ach cha robh mi cinnteach.

Thàinig deàrrsadh grèine eadar dà sgòth, 's phriob an saoghal orm. Dh'èirich mi, 's thòisich mi a' feadalaich, 's dh'fhalbh mi suas gu Ailig John.

I went out of the gate at the end of the house, up by the stable and out until the house was out of my sight, in the Small Glen. I sat on a rock and looked around.

I put the clarinet to my mouth and blew. It made a low sound and I felt the sting of loneliness and tears came to my eyes.

I looked around again. I realised I should be thankful for all I had – look at what I had got today itself – but I was not sure.

A beam of sunshine came between two clouds and the world winked at me. I got up, started to whistle and headed up to Ailig John.

3. Ceann a-tuath a' bhaile.

5. Faing: faic caibideil 3

7. Lampa Tilley a thàinig an àite nan seann lampaichean siobhaige anns na 1920an. Bha èadhar ga phumpadh ann am bonn na lampa a bhrùthadh parafin suas pìob chaol a bha an uair sin a' dol na cheò a dheigheadh a losgadh ann an glob glainne. Bha na Tillies mòran nas soilleire na lampa siobhaige agus bha teas annta cuideachd. Nuair a thàinig solas an dealain sna 50an is 60an bhiodh tòrr dhaoine fhathast gan cleachdadh airson an teas, agus solas nas socaire.

10. Bha similearan fhathast gu math ùr aig an àm ud – mar a bha na 'taighean-geala' air an robh iad. Ged a thuig a' mhòr-chuid an iomadh buannachd a thàinig an lùib nan taighean ùra, is tric a bhiodh daoine a' gearan mun 'draft' – an taca ris na seann 'taighean-dubha' lem ballachan tiugha, cloiche agus tughadh – agus nach robh teine a' ghrate cho math air an teas a thilgeil a-mach ris an teine am meadhan a' làir a b' àbhaist a bhith aca. A thuilleadh air na bha seo, bha similearan uaireannan a' dol nan teine, ged nach robh sin cho sgriosail ri teine tughaidh – rud nach robh cumanta, agus is mòr a' bheannachd sin.

Christmas - footnotes

1. *Lit: 'deuced well'*

2. *The meaning of this phrase is obscure. 'Rògais' and 'bhiogais' seem to be nonsense words but it always meant 'something but I'm not telling you what!'*

4. *Areas of the village were identified by the compass points. He meant 'in the north part of the village'.*

6. *Fank: see chapter 3*

8. *Tilley lamps became available from the 1920s and replaced the old wick lamps. A chamber at the bottom of the lamp was pressured by being pumped with air, pushing paraffin contained in it up a thin tube to be vaporised and burnt behind a glass globe. Tillies were many times brighter than a wick light and they also gave off heat. They were replaced by electricity, as it was introduced in the 50s and 60s, although many people continued to use them for their heat, and softer light.*

9. *Lit: 'stiffened (with cold)'*

11. *Chimneys were still a relatively new thing in these communities - as were the 'white' houses that they were a part of. Although most people recognised the improvements that a 'white' house brought, many complained of draughts - in contrast to the old thick-walled, thatched 'black' houses - and that grate fires gave a much less effective heat than the traditional fire in the middle of the floor. Chimney fires were another unwelcome hazard, although they were less devastating than thatch fires - which had been mercifully rare.*

Eadar-theangachadh

Tuigidh duine sam bith a dh'fheuchas ri aon chànan a thionndadh gu cànan eile gu bheil cainnte na slighe a-steach do dhòigh smaoineachaidh eadar-dhealaichte agus na sealladh prìseil air saoghal gun samhail a chaidh a thogail air ùidhean agus cleachdaidhean ghinealaichean gun àireamh de luchd-labhairt. Ach, ge bith dè cho math 's a ghreimicheas sinn air brìgh na smuain san fharsaingeachd, bidh am mion-ealantas a' faighinn às. Mar a chanas iad sa chànan eile: tha rudeigin ga chall san eadar-theangachadh.

Anns na h-eadar-theangaidhean Beurla seo, dh'fheuch sinn ri spiorad nan seanchasan Gàidhlig a chumail, agus ri cuid de na gnàthasan-cainnte a mhìneachadh nuair a shaoil sinn gum biodh sin feumail. Bhiodh eadar-theangachadh facal air an fhacal air a bhith clobhdach, mì-sgiobalta. Cho-dhùin sinn tionndaidhean Beurla a lìbhrigeadh a bhiodh cho faisg air a' Ghàidhlig 's a ghabhadh ach fhathast furasta a thuigsinn leotha fhèin do dhaoine nach b' urrainn na teacsaichean Gàidhlig a leughadh.

Bu chòir dhuinn cuideachd a ràdh, ged a tha na seanchasan stèidhichte air sreath rèidio a' BhBC, nach eil iad a' leantainn na chaidh a chraoladh sa h-uile seadh. Chaidh na prògraman rèidio a ghearradh air adhbharan tìde agus tha sinne air an cothrom a ghabhail cuid de phìosan nach do nochd anns an t-sreath rèidio a chleachdadh an seo.

Translation

Anyone who undertakes the translation of one language into another soon comes to understand that a language is an entry to a complete world of understanding and a privileged view of a unique world built on the preoccupations and usages of untold generations of speakers. However well we can capture the main drift, the nuances tend to slip through the cracks. As we say in English: something is lost in the translation.

In these English translations, we have attempted to retain the spirit of the Gaelic stories and to explain idiomatic differences, when we have thought that useful. Literal translations would have been cumbersome and unwieldy. We decided to provide English versions that are as close to the original Gaelic as possible while retaining their readability as stand-alone pieces for those who may be unable to access the Gaelic originals.

We should also note that although the stories are based on the BBC series, they do not always follow the broadcast recordings exactly. That is because they had to be edited to fit the time available and we have taken the opportunity to use some pieces here that did not appear in the radio series.

Sloinntearachd

Dha daoine nach eil eòlach air, faodaidh traidisean sloinntearachd na Gàidhlig a bhith rudeigin duilich a thuigse. Ciamar a tha na Gàidheil a' faighinn nan ainmean mìorbhaileach, iongantach seo nach gabh dèanamh a-mach? Dha daoine a thogadh san traidisean, tha e cho nàdarra ri bhith a' tarraing anail, agus chan eil e a' tighinn a-steach orra a cheasnachadh. Ach, don fheadhainn sin nach deach an togail ann an traidisean na Gàidhlig, seo mìneachadh.

Bha cò às a thàinig duine cudromach, ach bha cò dhà a bhuineadh e nas cudromaich buileach, ann an siostam nan cinnidhean. Mar bu tric, mar as dlùithe an càirdeas, 's ann as treasa agus as blàithe an dàimh. Bha seo fìor chudromach aig àm èiginn.

Ann an coimhearsnachdan Gàidhealach, mar a tha àbhaisteach air feadh taobh sear na Roinn Eòrpa, bha sloinneadh an teaghlaich a' tighinn bho ainm teaghlaich an fhir-phòsta. Cha robh ach beagan ainmean chinnidhean ann, leithid MacDhòmhnaill no NicLeòid. Bhiodh leanabh air ainmeachadh às dèidh cuideigin san teaghlach, tric cuideigin a bhàsaich. Bha seo a' ciallachadh nach robh ach beagan ainmean ann, agus, ann an aon chlas sgoile dh'fhaodadh an t-ainm Tormod MacDhòmhnaill no Dòmhnall MacLeòid a bhith air dithis no triùir. Cha robh an t-ainm baistidh gu leòr airson cuideigin aithneachadh.

B' e sin an t-adhbhar a bha far-ainmean air daoine, agus gun deach ainm athar (agus na b' ainneimh, ainm màthar) a chleachdadh, mar as tric a thachras ann an traidiseanan far

The Gaelic Naming Tradition

For those unused to it, the Gaelic naming tradition may seem rather difficult to understand. How do the Gaels come to be called by these marvellous, unintelligible names? To those raised within the tradition, it is as natural as breathing and it does not occur to them to question it. But to those who were not raised in the Gaelic tradition, here is an explanation.

Where people came from was important, but who they were related to was even more important in the system of kinship. Usually, the closer the kinship ties the stronger and warmer the allegiance. This was critical in times of trouble.

In Gaelic communities, as is usual across Western Europe, the family name came from the family name of the husband. i.e. there was a small number of clan names, such as Macdonald or Macleod. An infant would be named after someone in the family, often someone who had died. This meant that there was only a small number of names; and in a single school class two or three might be called Norman Macdonald or Donald Macleod. The baptised name was not enough to identify someone.

That was the reason that people had nicknames and that the father's name (and less usually, the mother's name) was used, as often happens in a tradition where the choice of names is constrained. Nicknames could arise for many reasons: personal appearance – Mòr (Big) or Ruadh (Ginger

a bheil an roghainn ainmean cuingealaichte. Dh'fhaodadh far-ainm èirigh air iomadh adhbhar: coltas duine (mòr no ruadh, mar eisimpleir), dòigh àraidh a bha leanabh beag a' feuchainn ri ainm a ràdh (m.e. Doil – Dòmhnall, Cala – Calum), agus faclan a tha tric gun chiall sam bith, tha e coltach, mar Sgodaidh agus Spung. Dh'fhaodadh gu robh ciall aig ainmean mar sin nuair a chaidh am buileachadh air duine an toiseach, ach mar as tric tha a' chiall sin air dol à cuimhne. Mar eisimpleir, nochdaidh sliochd Sgodaidh corra uair air feadh nan seanchasan agus chuala mi gun d' fhuair e ainm air sgàth far-ainm, Scotty, a thugadh dha nuair a bha e ag obair anns na Stàitean – bha eileanaich riamh a' siubhal a lorg obair. Fhuair mi a-mach cuideachd gu bheil 'spung' a'ciallachadh 'sporan' ann an seann Scots – is iomadh far-ainm a thàinig bhon Bheurla – ach cò aige tha fios an-diugh am b' e sin bu chiall dha.

'S e 'patronymics' a th' air a' chleachdadh a bhith ag ainmeachadh dhaoine le luaidh air ainm an athar agus/no an seanar (avonymics) no fiù sinnsear nas fhaide air ais. Mar eisimpleir, tha Murchadh Sgodaidh (a nochdas ann an aon de na sgeulachdan) a' ciallachadh Murchadh mac Sgodaidh. Tha Dòmhnall Mhurchaidh Sgodaidh a' ciallachadh Dòmhnall mac Mhurchaidh mhic Sgodaidh – ainm a sheanar cho math ri ainm athar anns an t-sloinneadh.

Bhiodh mnathan pòsta a' gabhail ainm an teaghlaich, mar a dhèanadh a h-uile duine san teaghlach. Ach, nuair a phòsadh iad, bhiodh boireannaich a' tighinn fo sgèith na sloinntearachd ann an dòigh eile: chan e mhàin gun gabhadh iad ainm teaghlaich an fhir phòsta aca, ach glè thric a shloinntearachd cuideachd. Bho rugadh i, b' e ainm mo mhàthar Màiread Thormoid Dhubh Cheann, a' ciallachadh Màiread nighean

Haired) for example – an unusual childish attempt at saying their name (e.g.Doil – Dòmhnall; Cala – Calum) and words that often seem to make no sense at all, like Sgodaidh and Spung. It could have been that names like that did have a meaning when they were first applied to people, but usually that meaning has been forgotten. For example, I have heard that Sgodaidh, whose descendants feature occasionally in the stories, was based on his nickname of 'Scotty' from a period he spent working in the USA – islanders have always travelled for work. I also discovered that 'spung' means 'purse' in Old Scots – many nicknames came from English – but who knows now whether that was what was meant.

Patronymics is the name given to the tradition of naming people by reference to their father and/or their grandfather (avonymics) or an even earlier ancestor. For example, Murchadh Sgodaidh (who appears in one of the stories) means Murdo son of Sgodaidh. Dòmhnall Mhurchaidh Sgodaidh means Donald son of Murdo son of Sgodaidh, his grandfather's as well as his father's names retained in the patronymic.

Married women took the family name, as did all members of the family. However, on marriage, women came under a variant of patrimony in another way: they not only took their husband's family name, but often his patronym. From birth, my mother was known as Màiread Thormoid Dhubh Cheann, which means Màiread daughter of Norman son of Dubh Cheann (The Black-haired One). When she married

Thormoid mhic Dhubh Cheann. Nuair a phòs i m' athair agus a chaidh i a dh'fhuireach ann an Liùrbost, b' e Màiread Thormoid Carnaidh a bh' oirre a bha a' ciallachadh Màiread bean Thormoid mhic Carnaidh (b' e Carnaidh far-ainm mo sheanar).

Tha matronymics ag obair san aon dòigh. Ann an coimhearsnachd far am biodh a' mhàthair nas ainmeil (no nas cudromaiche) na a cèile, 's ann oirrese a bhiodh a' chlann air an ainmeachadh: nam chùis fhìn, bidh fios aig muinntir Bheàrnaraigh sa bhad cò mi ma chluinneas iad mac Màiread Thormoid Dhubh Cheann, a' ciallachadh mac Màiread nighean Thormoid mhic Dhubh Cheann.

Tha an siostam sloinntearachd (a' tighinn bhon fhacal 'sloinneadh', a' ciallachadh ainm teaghlaich) a' leigeil leinn daoine aithneachadh bho an sinnsearan. Bha ùidh mhòr aig cuid ann, agus bha iad air leth pròiseil gum b' urrainn dhaibh daoine aithneachadh mar seo oir bha làn eòlas air na dàimhean càirdeis toinnte a thig an lùib sloinntearachd ag iarraidh fìor chomasan inntinn is cuimhne.

Seallaidh mi nis mar a tha an traidisean ga chleachdadh le bhith ag innse mar a tha e ag obair san teaghlach agam fhìn.

my father and went to live in Liùrbost, she was called Màiread Thormoid Carnaidh which means Màiread wife of Norman son of Carnaidh. (Carnaidh was my grandfather's nickname).

Matronymics work in the same way. In a community where the mother is better known (or of more significance) than her husband, the children are named after her: in my own case, people from Bernera will place me at once if they hear Mac Màiread Thormoid Dhubh Cheann, which means the son of Màiread daughter of Tormod son of Dubh Cheann.

The system of 'sloinntearachd' (from 'sloinneadh', meaning the family name) allows us to place a person according to their lineage. Some individuals took a great interest and pride in being able to identify people in this way – being very familiar with the complex kinship relationships that are a part of 'sloinntearachd' requires acute mental skills and memory.

I will now show how the naming tradition is used by describing how it works within my own family.

Teaghlach Bheàrnaraigh

Bha mo shinn-shinn-sheanair air taobh mo mhàthar a' fuireach ann am Bostadh. B' e Tormod MacDhòmhnaill ainm ach b' e Tormod Mòr a bh' aig daoine air. Bha seachdnar chloinne aige. Ann an 1878 fhuair muinntir Bhostaidh cead croitean is fearann nas fheàrr a ghabhail ann an Circeabost. Bha Tormod Mòr air bàsachadh ron àm sin agus rinn ceathrar de na mic aige dachaigh ann an Circeabost. (Phòs dithis nighean agus mac eile agus chaidh iad a dh'fhuireach ann an àiteachan eile. Cha lean sinn iad tuilleadh.)

Muinntir Chirceaboist

Rinn Iain MacDhòmhnaill (Daidh) (1821-1887) dachaigh aig 14 Circeabost. Bha seachdnar chloinne aige. Gu mì-àbhaisteach, cha do phòs duine aca. Na sheann aois, thug a mhac, Tormod MacDhòmhnaill – Tormod Dhaidh (1863-1952) – ogha bràthar athar a-steach a choimhead às a dhèidh. B' e seo Tormod MacDhòmhnaill – Tormod a' Spung (1916-1989) – bho 24 Circeabost. (Tha Tormod a' nochdadh ann an aon de na sgeulachdan.) Fhuair esan a' chroit agus thog e teaghlach. A chionn gu robh far-ainm air Iain MacDhòmhnaill chaidh an sloinneadh aige, Iain Thormoid Mhòir, a-mach à cleachdadh. B' e muinntir Dhaidh a bh' air muinntir 14 Chirceaboist.

Bha Calum MacDhòmhnaill (Calum) (1832-1916) aig 24 Circeabost. Bha seachdnar chloinne aige. Cha d' fhuair Calum far-ainm ann agus chùm e a shloinneadh, Calum Thormoid Mhòir (Calum mac Thormoid Mhòir). B' e Muinntir Chaluim a bh' air an teaghlach aigesan.

The Bernera Family

My maternal great great grandfather lived in Bostadh. His given name was Norman Macdonald, but he was known as Tormod Mòr (Big Norman). He had seven children. In 1878 the inhabitants of Bostadh were given permission to get better crofts and land in Circeabost. Tormod Mòr had died before then and four of his sons made their homes in Circeabost. (Two daughters and another son married and went to live elsewhere. We will not follow them further.)

The Circeabost People

John Macdonald (Daidh) (1821-1887) settled at 14 Circeabost. He had seven children. Unusually, none of them married. In his old age his son, Norman Macdonald – Tormod Dhaidh (1863-1952) took in his uncle's grandson, Norman Macdonald – Tormod a' Spung (1916-1989) from 24 Circeabost - to look after him. (Norman appears in one of the stories.) He inherited the croft and raised a family. Because John Macdonald had a nickname, the patronymic Iain Thormoid Mhòir fell out of use. The household at 14 Circeabost were known as Daidh's people – muinntir Dhaidh.

Malcolm Macdonald (Calum) (1832-1916) settled at 24 Circeabost. He had seven children. Malcolm was not given a nickname and retained his patronymic of Calum Thormoid Mhòir (Malcolm son of Big Norman). They were known as Calum's people – Muinntir Chaluim.

Bha Dòmhnall MacDhòmhnaill (Doil) (1840-1925) aig 11 Circeabost (Crois a' Rothaid). Bha sianar chloinne aige. A chionn gu robh far-ainm air Dòmhnall MacDhòmhnaill chaidh an sloinneadh aige, Dòmhnall Thormoid Mhòir, a-mach à cleachdadh. B' e muinntir Dhoil a bh' air muinntir 11 Chirceaboist.

Bha Tormod MacDhòmhnaill (Dubh Cheann) (1834-1915), ar sinn seanair, aig 9 Circeabost. (Bha e aig 4 Circeabost o thùs ach rinn e iomlaid le Murchadh Moireasdan, iasgair ghiomach a dh'fheumadh a bhith na b' fhaisge air an tòb ghiomach.) Bha naoinear chloinne aige. Fhuair Tormod dà fhar-ainm: Tulaman (a' ciallachadh tunnag fhireann) agus Dubh Cheann (tha falt glè dhubh anns na daoine). Feumaidh a bhith gur e Tulaman a bh' aig cuid de a cho-aoisean air ach cho fad 's as aithne dhòmhsa cha bhiodh sin aig an teaghlach air idir. B' e Muinntir Dhubh Cheann a bh' air muinntir 9 Chirceaboist.

Mar sin, bha 29 duine chloinne aig a' cheathrar bhràithrean seo – meur Chirceaboist de chlann Thormoid Mhòir – agus chaidh an àireamh sin am meud mar a chaidh na ginealaich air adhart. Phòs a' chuid bu mhotha a-mach às a' bhaile no chaidh iad an slighe fhèin san t-saoghal. B' e am fireannach a bu shine anns gach teaghlach a gheibheadh a' chroit agus an taigh. Bhiodh peathraichean nach do phòs, agus corra fhireannach, a' fuireach san dachaigh, ach cha chumadh croit ach aon teaghlach le, is dòcha, duine no dithis a bharrachd a' fuireach air.

Nuair a bhàsaich Tormod MacDhòmhnaill (Dubh Cheann) ann an 1915, chaidh a' chroit dhan a' mhac bu shine, air an robh Tormod MacDhòmhnaill cuideachd (Tormod Dhubh

Donald Macdonald (Doil) (1840-1925) settled at 11 Circeabost (the Crossroads). He had six children. Because Donald Macdonald had a nickname, his patronymic, Dòmhnall Thormoid Mhòir (Donald son of Big Norman) went out of use. The inhabitants of 11 Circeabost were referred to as Doil's people – Muinntir Dhoil.

Norman Macdonald (Dubh Cheann) (1834-1915), our great grandfather, settled at 9 Circeabost. (Originally allocated 4 Circeabost, he swapped with Murdo Morrison, a lobster fisherman, who needed to be nearer the lobster pond.) He had nine children. He had two nicknames: Tulaman (drake, male duck) and Dubh Cheann, meaning Black Head (very black hair is a family trait). Tulaman must have been used by some of his contemporaries, but as far as I know he was not called that within the family. The inhabitants of 9 Circeabost were known as Dubh Cheann's people – Muinntir Dhubh Cheann.

Thus, 29 offspring were sired by these four brothers – the Circeabost contingent of Clann Thormoid Mhòir – and that number increased as the generations rolled on. Most of them married out of the village or went on their own way in the world. The eldest male in each family inherited the croft and the house. Unmarried sisters and the occasional male remained in the household, but a croft could only support a single family, with maybe one or two additional people living on it.

When Norman Macdonald (Dubh Cheann) died in 1915, the croft passed to his eldest son, also Norman Macdonald (Tormod Dubh Cheann) (1885-1952). He had 4 Children.

Cheann) (1885-1952). Bha ceathrar chloinne aigesan. A chionn gu robh far-ainm air – a' Negaro – b' e sin a bh' aig daoine air seach a shloinneadh.

Phòs Tormod MacDhòmhnaill (a' Negaro) Màiread Anna NicDhòmhnaill (1880-1971), aon de dheichnear chloinne à 16b Tobson (baile eile ann am Beàrnaraigh). B' e Peigidh Anna a bh' oirre agus b' e a sloinneadh Peigidh Anna Soss – Màiread Anna nighean Soss. Nuair a phòs i b' e Peigidh Anna a' Negaro (Màiread Anna bean a' Negaro) a bh' oirre.

An teaghlach:

- Ann NicDhòmhnaill (1915-1996). Gun pòsadh
  Sloinneadh: Ann a' Negaro – Anna nighean a' Negaro.
  Antaidh Ann dhòmhsa.

- Bha triùir chloinne aig Iain MacDhòmhnaill (1917-1969). Sloinneadh: Iain a' Negaro – Iain mac a' Negaro. Bha ainm eile air cuideachd: an t-Urramach Iain Dòmhnallach, ministear anns an Eaglais Shaor.
  Uncal Iain dhòmhsa.

- Ciorstaidh Màiri NicDhòmhnaill (1920-1990).
  Gun pòsadh. Sloinneadh: Ciorstaidh Màiri a' Negaro.
  Antaidh Chris dhòmhsa.

- Màiread NicDhòmhnaill (1922-2011). Sloinneadh: Màiread a' Negaro. Cuideachd (ann an Liùrbost)
  Bean Thormoid Carnaidh no Màiread Carnaidh.
  Mamaidh dhòmhsa.

Because he had a nickname – a' Negaro – that is what people called him, rather than his patronymic.

Norman Macdonald (a' Negaro) married Margaret Ann Macdonald (1880-1971), one of 10 children from 16b Tobson (another village on Bernera). She was known in Gaelic as Peigidh Anna and her patronymic was Peigidh Anna Soss (Margaret Ann daughter of Soss). When she married she became Peigidh Anna a' Negaro, Margaret Ann wife of The Negro).

The family:

- *Ann Macdonald (1915-1996) Unmarried. Patronymic: Anna a' Negaro – Ann daughter of the Negro. Aunty Ann to me.*
- *John Macdonald (1917-1969) had three children. Patronymic: Iain a' Negaro – John son of the Negro. He had another title also: An t-Urramach Iain Dòmhnallach – The Reverend John Macdonald, as a minister of the Free Church of Scotland. Uncle Iain to me.*
- *Kirsty Mary Macdonald (1920-1990) Unmarried. Patronymic: Ciorstaidh Màiri a' Negaro – Kirsty Mary daughter of the Negro. Aunty Chris to me.*
- *Margaret Macdonald (1922-2011) had four children. Patronymic: Màiread a' Negaro – Margaret daughter of the Negro. Also (in Liùrbost) Ben Thormoid Carnaidh – wife of Norman son of Carnaidh or Màiread Carnaidh – Margaret Carnaidh (of Carnaidh's people/household). Mammy to me.*

Càirdean eile a' fuireach aig 9 Circeabost

- Màiread Anna NicDhòmhnaill (1880-1971). Bean a' Negro. Sloinneadh: faicibh gu h-àrd. Granaidh dhòmhsa.
- Cairistìona NicDhòmhnaill (1883-1961). Gun pòsadh. B' ise mo sheann Antaidh Cairistìona agus tè a bha air leth cudromach anns an taigh. Sloinneadh: Cairistìona Dhubh Cheann. Antaidh Cairistìona dhòmhsa.)
- Tormod MacLeòid (1922-1983). M' athair agus fear-pòsta Màiread NicDhòmhnaill. Sloinneadh: Tormod Carnaidh.

Muinntir Liùrboist

Chan eil mi air taobh Liùrboist an teaghlaich agam a leantainn o chionn nach eil iad a' nochdadh ach ainneamh anns na sgeulachdan seo. Rugadh mo sheanair, Ruairidh MacLeòid (1877-1958) aig 14 Rànais, Sgìre nan Loch. Às dèidh dha pòsadh, rinn e dachaigh air pìos dhen chroit ('feu') aig 41 Liùrbost a fhuair mo sheanmhair, Iseabail NicDhòmhnaill (1882-1957), bho a bràthair, Ruairidh. B' e far-ainm mo sheanar, Carnaidh, a bh' air an teaghlach – Muinntir Charnaidh. Chuala mi gur e eachdraidh an ainm Carnaidh gun deach mo sheanair, nuair a bha e ag obair aig an iasgach sa Bhruach, a chur an àite fòrman a' chriudha cutaidh, fear air an robh Carney, nuair a bha am fear sin air falbh ann an Inbhir Ùige. Chualas mo sheanair ag ràdh, "Is mise Carnaidh gus an till Carnaidh à Inbhir Ùige," agus lean an t-ainm ris bhon àm sin.

Other family members living at 9 Circeabost

- *Margaret Ann Macdonald (1880-1971). Wife of the Negro. Patronymic: see above. Known to me as "Granny".*
- *Christina Macdonald (1883-1961). Unmarried. She was my Great-aunt and an important member of the household. Patronymic: Cairistìona Dhubh Cheann. Aunty Cairistìona to me.*
- *Norman Macleod (1922-1983). My father and husband of Margaret Macdonald. Patronymic: Tormod Carnaidh – Norman son of Carney.*

The Liùrbost side

I have not followed the Liùrbost side of my family, since they rarely appear in these stories. My grandfather, Roderick Macleod (1877-1958) was born at 14 Rànais, Lochs. After he married, he settled on a piece of the croft (a 'Feu') at 41 Liùrbost which my grandmother, Isobella Macdonald (1882-1957), got from her brother Roderick. My grandfather's nickname, Carnaidh, identified the family as Muinntir Charnaidh. I have heard that the derivation of this was that my grandfather, during a period working at the fishing in Fraserburgh, was put in place of the gutting crew foreman, a man called Carney, while he was away in Wick. My grandfather was heard to say, "I am Carney until Carney gets back from Wick." The name stuck.

Mo Shloinntearachd fhèin

Sloinneadh: Dòmhnall Iain Thormoid Carnaidh – Dòmhnall Iain mac Thormoid mhic Carney.

Sloinneadh taobh mo mhàthar: Iain Beag Màiread a' Negaro – Iain Beag mac Mhàiread nighean a' Negaro, agus Iain Beag Màiread Thormoid Dhubh Cheann – Iain Beag mac Mhàiread nighean Thormoid mhic Dubh Cheann. Tha mise cuideachd air far-ainm a chosnadh, 'An Saidhc-eòlaiche, Dòmhnall MacLeòid', tron dreuchd agam sa phroifeisean sin agus m' obair mar chraoladair.

Tha sinn a' cleachdadh sloinneadh traidiseanta dhaoine anns na tionndaidhean Beurla cho math ris na tionndaidhean Gàidhlig de na sgeulachdan.

My own Sloinntearachd

Patronymic: Dòmhnall Iain Thormoid Carnaidh – Donald Ian son of Norman son of Carney.

Matronymic: Iain Beag Màiread a' Negaro – Little Ian son of Margaret daughter of The Negro and Iain Beag Màiread Thormoid Dhubh Cheann – Little Ian son of Margaret daughter of Norman son of Black Head. I too have earned a nickname, An Saidhc-eòlaiche, Dòmhnall MacLeòid – The Psychologist, Donald MacLeod – through my career in that profession and my work as a broadcaster.

We have decided to use people's traditional genealogy in the stories in both the Gaelic and English versions.

Ainmean

Ailig John
Alasdair Ailean
Alasdair Niall Dròbhair
Aonghas Thormoid
Calum Fhionnlaigh
Catrìona Thormoid a' Spung
Ceit Tochaidh
Catrìona Ruadh Dhanaidh Choinnich
Ciorstaidh Mary
Coinneach Dochart
Dòmhnall Calum
Dòmhnall Chlapper
Dòmhnall Dòmhnallach
Dòmhnall Iain
Dòmhnall Mhurchaidh Sgodaidh
Eilidh
Fionnlagh
Iain MacLeòid
Iain a' Negaro
Iain Tom
Màiread
Murchadh Sgodaidh
Mòrag
Murchadh Moireasdan
Murdag Carnaidh
Niall Alasdair
Peigi Anna
Seònaid Ailig John
Seonaidh Ruadh
Seonaidh a' Mhorghain
Tormod Tobhtarail
Tormod Dhoil
Tormod a' Spung
Tormod Alasdair
Tormod Dubh Cheann
Tormod MacAmhlaigh
Tormod nan Loch

Names

Alex John
Alastair Allan
Alistair son of Neil son of the Drover
Angus son of Norman
Malcolm son of Finlay
Catherine wife of Norman son of 'Spung'
Kate daughter of 'Tochy'
Red-haired Catherine daughter of Danny son of Kenneth
Kirsty Mary
Kenneth son of Dochart
Donald Malcolm
Donald son of 'Clapper'
Donald MacDonald
Donald John
Donald son of Murdo son of 'Scotty'
Helen
Finlay
Ian or John MacLeod
Ian son of the 'Negro'
John son of Tom
Margaret
Murdo son of 'Scotty'
Morag or Marion
Murdo Morrison
Murdina daughter of 'Carney'
Neil son of Alastair
Peggy (Margaret) Ann
Jessie wife of Alex John
Red-haired Johnny
Johnny son of 'the Gravel'
Norman of Tobhtaral (an area of Circeabost)
Norman son of 'Doil'
Norman son of 'Spung'
Norman son of Alastair
Norman son of 'the Black-haired one'
Norman MacAulay
Norman of Lochs

Notaichean-deiridh

i Bha tòrr an lùib a bhith a' gabhail teatha: iomadh tairgse agus iomadh diùltadh; aontachadh gun gabhadh... ach air èiginn; a h-uile duine a' tuigsinn gu feumar aoigheachd a ghabhail, ge bith co mheud taigh air an deach tadhal; tuigse gu feumadh muinntir an taighe teatha a ghabhail cuideachd, fiù nan robh iad dìreach air èirigh bhon bhòrd; truinnsear air a thiùrradh le cus, agus barrachd nam b' urrainn do dhuine sam bith ithe; àiteigin ga thabhann far an cuireadh an aoigh an truinnsear; bonaid fireannaich ga chur air a ghlùin; altachadh goirid; an teatha ga h-òl gu modhail; greis a' còmhradh gus an robh e iomchaidh falbh.

Nuair a bha daoine a' gabhail teatha, bha nàdar de stuamachd ga mheas air leth cudromach. Bha dùil gun diùltadh an aoigh tairgseadh muinntir an taighe grunn thursan mus gabhadh iad e. Mar a thuirt mi anns an sgeulachd, "dh'fheumadh daoine a bhith daiceallach". Nuair a chaidh tar-sgrìobhadh a dhèanamh air na prògraman rèidio agam air a bheil an leabhar seo stèidhichte, b' e am facal 'faiceallach' a nochd air an duilleag. Ach, b' e 'daiceallach' a chuala mise nam òige. Cha robh am facal aig Joan Nicdhòmhnaill. Cha robh e fiù aig Cathy Nicdhòmhnaill, a thogadh le Gàidhlig Bheàrnaraigh – ged a lorg i am facal 'doicheallach' aig a bheil ciall coltach ri daiceallach. Tà, bha mise air a chluinntinn le 'c' cruaidh. An uair sin, lorg Annella Nicleòid e ann am faclair MhicGillFhinnein agus dhearbh seo (dhomh fhìn co-dhiù) nach robh mo chuimhne ceàrr. Bidh a' Ghàidhlig, mar cànan beò sam bith, ag atharrachadh agus a' leasachadh. Bidh facail a' dol à cleachdadh fhad 's a thig facail eile am bith gus coinneachadh ri feumalachdan an latha an-diugh.

ii *There was a lot to the tea-ceremony: the repeated offers and refusals; the sparing acceptance; the fact recognised on both sides that hospitality had to be accepted, however many houses had been visited; the need for the hosts also to take tea, whether or not they had just eaten; the provision of a saucer, heaped with more than it should contain or the person should sensibly eat; the provision of somewhere to place the plate, to avoid the 'cocktail party dilemma'; the placing of the (male) bonnet on the knee; the short grace; the decorously delicate taking of the tea; the proper pause and talk until it was not impolite to leave.*

In taking tea a kind of diffidence was extremely important. The visitor was expected to decline and the host to press a number of times, until the offer was accepted. As I said in the story, "people needed to be frugal" ('daiceallach'). When the radio programmes on which this book is based were transcribed, it was 'faiceallach' (careful) that appeared on the page. But it was 'daiceallach' that I heard in my youth. Joan Macdonald had not heard it. Even Cathy Macdonald, who was raised with the Bernera dialect, could not remember it – although she found the word 'doicheallach' which has a similar import. But I heard it with a hard 'c'. Then Annella Macleod found it in MacLennan's dictionary and that confirmed (for me at least) that I had not mis-remembered. Gaelic, as with any language, changes and developes. Words fall out of use and others are coined, the better to meet the needs of the day. This illustrates how far we have moved

Tha seo a' sealltainn cho fada 's a tha sinn air gluasad bho chainnte muinntir nan coimhearsnachdan Gàidhlig a bh' ann nam òige gu cànan a tha nas foirmeil, as urrainn bruidhinn air poileataigs, teicneòlas, feallsanachd no cuspair sam bith eile. Tha pàirt mhòr aig a' BhBC anns an leasachadh cànain seo, tro liut is innleachd a chraoladairean agus na daoine ris am bruidhinn iad.

iii Sìoman Theàrlaich: ròpa 'coir' à Bùth Theàrlaich (Teàrlach Moireasdan) ann an Steòrnabhagh, bùth bathair-chruaidh a dhùin mu dheireadh ann an 2002.

v Marc: comharraidhean air a' chlòimh (agus air na cluasan) a dh'innseas cò leis a tha na caoraich.

vii Buain na mòna

Bha mòine aig cridhe na dachaigh. Gu dearbh bha i dha-rìreabh aig cridhe an taigh-dubh nuair a bha an teine ann am meadhan a' làir. Bha i cuideachd aig cridhe bliadhna-obrach nan croitearan. Dhèanadh iad poll-mònach le bhith a' cladhach trainnse fhada sa mhòine, a bha air fàs bho fhuigheall na seann choille Chailleannaich. Dheigheadh am poll a mheudachadh gach bliadhna fhad 's a bha barrachd mòine ga thoirt a-mach.

A' tòiseachadh sa Mhàigh, dheigheadh na daoine a-mach gu na puill aca (bhiodh am puill fhèin aig gach croit) airson an rùsgadh. Bhiodh iad a' dèanamh seo le bhith a' gearradh sìos tro fhreumhan ruighinn an fhraoich agus a' togail ceap

from the demotic language of my boyhood toward a more formal version, able to debate politics, technology, philosophy or any other subject. The BBC has had a leading part in developing the language in this way, through the expertise and inventiveness of its broadcasters and contributors.

iv *Sìoman Theàrlaich: coir rope, known in Lewis as 'Charlie's rope' because it was bought from 'Charlie Morrison's', a hardware shop in Stornoway which eventually closed in 2002.*

vi *Mark: marks on the fleece (and ears) which identify the sheep as belonging to the owner of the mark.*

viii *Peat-cutting*

Peat [mòine] was at the heart of the home – quite literally, in the days of the old black houses, when the fire was placed in the middle of the living-area floor. It was also at the heart of the crofting year's work. A peat-bank [poll-monach – usually, simply 'poll'] was created by digging a long ditch into the peat that had been formed from the ancient Caledonian forest. It widened each year as the peat was removed.

Beginning in May, the men would go to the peat banks [na puill] allocated to each croft in order to turf them [airson a rùsgadh]. This consisted of cutting down with a sharp spade through the tough heather roots and then pushing the spade underneath the roots to remove a slab of turf [ceap],

feòir gus uachdar na mòna (an riasg) fhosgladh. 'S e obair glè throm a bh' ann agus mar bu tric 's e fireannaich a dhèanadh e.

Bhiodh a' bhuain (gearradh) ga dhèanamh le dithis, aon (fireannach mar bu tric) ag obair leis an tairsgeir (iarann gearraidh) agus an dàrna neach (boireannach mar bu tric) a' tilgeil nam fàdan (leacan mòna) gu sgileil gus an tuiteadh iad ann an sreathan grinn air uachdar a' phuill. Bha barrachd air aon shreath doimhneachd ann an cuid de phuill, a' ciallachadh gum feumar na fadan a thilgeil na b' fhaide gus a' mhòine uile fhaighinn air an uachdar. Chumadh iad a' dol leis an obair seo gus an robh mòine na bliadhna aca (le beagan a bharrachd) air a buain. Ma bha tòrr dhaoine ann an teaghlach a b' urrainn grunn thairsgeirean obrachadh aig an aon àm cha toireadh iad fada sam bith ris, ach bha feadhainn eile a dh'fheumadh cuideachadh – agus gheibheadh iad sin, gun teagamh. An ceann grunn sheachdainean, an urra ris an aimsir, bhiodh craiceann tiormachaidh air fàs air uachdar nam fàdan. Bhìthte an uair sin gan togail agus a' dèanamh rùdhain (5 no 6 fàdan a' seasamh an tac a chèile) gus am faigheadh an èadhar eatorra airson an tiormachadh ceart. Às dèidh greis mar sin, bhìthte gan cruinneachadh ann an cruachan beaga (ath-rùdhan).

An uair sin, bhìthte gan cur chun a' rathaid le bara, no ann am pocannan no clèibh, agus gan tiùrradh an sin gus an tigeadh each is cairt airson an toirt dhachaigh. Aig an taigh, bhìthte a' togail cruach-mònach airson an cumail gus am biodh feum orra san teine. Bha an cruach ga thogail ann an dòigh shònraichte – na ballachan a-muigh air an òrdachadh leis na fàdan air am fiaradh gus an t-uisge a chumail a-mach agus na fàdan am broinn a' chruaich a chumail tioram.

exposing the surface of the peat [riasg]. This was very heavy work, usually reserved for the men.

The cutting of the peats [buain] was done by a team of two people, one (usually male) working the cutting-iron [tairsgeir] and the other (usually female) throwing [tilgeil] the peats [na fàdan] skilfully, so that they landed neatly in rows on the peat-bank top [uachdar a' phuill]. Some banks had more than one layer [doimhne, or doimhne-mònach] and that required extra-long throws to accommodate all the peats. This process continued until a year's supply, with some surplus, had been cut. Some families had enough people to get through the work quickly, fielding several 'irons' [tairsgeirean]; others needed help from other families, which was always forthcoming.

After a few weeks, depending on the weather that year, the peats would have dried to form a skin on the top side. They were then lifted and formed into small stacks of 5 or 6 peats [rùdhan], propped up together to let the air circulate around them. After a suitable time, these small stacks were amalgamated into larger stacks [ath-rùdhan]. They were then carried to the roadside using wheelbarrows, hessian sacks or creels, and piled in a loose mound until they could be collected using a horse and cart. The peat-stack [cruach-mònach] at home was their final destination, before they got to the fire, anyway. The peat-stacks had carefully built outer walls [stadhadh] in a herring-bone style pattern in order to throw off the rain and keep the inner peats dry.

Is cinnteach nach eil dad nas Gàidhealaich na sealladh nan cruachan-mònach ri taobh gach taighe agus fàileadh milis ceò na mòna ag èirigh air oidhche chìuin.

ix Creagan na Mì-chomhairle: tha aithris air an làrach-lìn, Hebridean Connections, mun ainm-àite seo, ga cheangal ris an t-srì eachdraidheil a bh' ann an Leòdhas eadar Clann Amhlaigh Ùige agus Moireasdanaich Nis.

https://www.hebrideanconnections.com/images/BerneraData/BerneraPublishable/Kirkibost/so_b_ki_10_0012e.mp3

Ach, chaidh innse dhomh gu bheil riochd eile air an ainm – 'Creagan MhicShomhairle' – airson gur e fear air an robh mac Shomhairle a chaidh a chur gu bàs ann. Mar sin, 's e Creagan Mhic Shomhairle a bhiodh air.

There was nothing more emblematic of the Highland village than the peat-stacks by every house and the smell of peat smoke on a still night.

x *The Crag of Evil Counsel: the website, Hebridean Connections, contains an account of this placename, connecting it to the historical conflict between the MacAulays of Uig and the Morrisons of Ness.*

https://www.hebrideanconnections.com/images/BerneraData/BerneraPublishable/Kirkibost/so_b_ki_10_0012e.mp3

However, I was told that the name has another form – 'Creagan MhicShomhairle'. The man reputedly executed there was the son of a man called Samuel. In Gaelic, this becomes Somhairle. In this version, the hummock was known as 'Creagan MhicSomhairle': 'The Crag of the Son of Sorley'.